Francine Ferland et Élisa

L'ERGOTHÉRAPIE
AU QUÉBEC

HISTOIRE D'UNE PROFESSION

Les Presses de l'Université de Montréal

Catalogage avant publication de Bibliothèque et Archives nationales du Québec et Bibliothèque et Archives Canada

Ferland, Francine

L'ergothérapie au Québec. Histoire d'une profession

Comprend des réf. bibliogr.

ISBN 978-2-7606-2194-7

1. Ergothérapie - Québec (Province) - Histoire. 2. Ergothérapie, Services d' - Québec (Province) - Histoire. I. Dutil, Élisabeth. II. Titre.

RM699.3.C3F47 2012   615.8'51509714   C2012-941007-1

Dépôt légal : 3ᵉ trimestre 2012
Bibliothèque et Archives nationales du Québec

© Les Presses de l'Université de Montréal, 2012
ISBN (papier) 978-2-7606-2194-7
ISBN (epub) 978-2-7606-3106-9
ISBN (pdf) 978-2-7606-3105-2

Les Presses de l'Université de Montréal reconnaissent l'aide financière du gouvernement du Canada par l'entremise du Fonds du livre du Canada pour leurs activités d'édition.
Les Presses de l'Université de Montréal remercient de leur soutien financier le Conseil des Arts du Canada et la Société de développement des entreprises culturelles du Québec (SODEC).

IMPRIMÉ AU CANADA EN AOÛT 2012

Préface

Lorsque, au début de 2011, peu de temps après mon arrivée à la présidence de l'Ordre des ergothérapeutes du Québec, j'ai appris que Élisabeth Dutil et Francine Ferland s'étaient lancées dans cette aventure d'écriture, j'avoue avoir été surpris.

Je me suis demandé ce qui avait bien pu inciter ces deux ergothérapeutes de renom et officiellement à la retraite à s'investir dans un projet d'une telle ampleur.

Par la suite, j'ai compris que ce défi « occupationnel », qui les mobilisait à temps plein depuis déjà de nombreux mois, était motivé par une passion peu commune et qu'une importante signification était associée à la parution de ce livre.

Bien connaître notre histoire, savoir précisément d'où nous venons, et ce, que nous soyons anciens ou nouveaux dans la profession, comporte un lot de bénéfices. Cela aide indubitablement à comprendre avec plus d'acuité le monde contemporain dans lequel nous exerçons notre profession et nous donne ainsi les bases d'un avenir professionnel meilleur.

Je ne peux qu'être honoré de présenter cet ouvrage. Ainsi, je salue la détermination de ces ergothérapeutes-auteures face à la publication de ce livre, car il s'agit là d'un précieux legs à la profession et aux ergothérapeutes.

Vous l'aurez compris, ce livre n'est pas l'œuvre d'historiens portant leur regard de spécialistes sur des archives et des événements passés. Il s'agit plutôt d'un ouvrage d'enquête et d'écriture de deux cliniciennes, chercheures et professeures, qui ont été au cœur de l'expérience ergothé-rapique québécoise et de son évolution au cours des 40 dernières années.

Le point de vue des auteures s'appuie sur une démarche longue et rigoureuse de consultation des archives disponibles, de sondages d'opi-nion, de rencontres et d'entrevues avec des bâtisseuses et des bâtisseurs de l'ergothérapie au Québec.

Le récit témoigne du chemin parcouru des années 1930 jusqu'à ce jour, à travers certains volets, tels que la pratique clinique, la formation et la recherche. Il raconte aussi comment cette profession, pratiquée sur-tout par des femmes, a connu un essor majeur, comment elle est devenue une profession à part entière au Québec et a acquis ses lettres de noblesse.

Cet ouvrage s'inscrit dans une perspective qui évoque, entre autres, les réalisations de plusieurs leaders de la profession, leurs actions et leurs influences. Tous ne sont pas là, pas plus que tout sur l'ergothérapie n'aura été dit. D'aucuns pourraient arguer qu'il manque ceci ou que cela est trop développé, mais comme dans tout ouvrage du genre, les choix, les limites et les «couleurs» des auteures sont bien présents. Pour ma part, j'accueille avec plaisir cet ouvrage qui s'intéresse à l'histoire de l'ergothérapie, notre profession. Ce livre m'a rappelé l'importance de connaître le passé et ses faits marquants. Aussi, il aura contribué à améliorer ma compréhension de certains aspects de la profession.

Je souhaite que tous les ergothérapeutes sans exception se retrouvent dans ces écrits, car nous faisons tous partie de cette histoire, histoire qui continue inexorablement sa route.

En terminant, je voudrais exprimer ma sincère gratitude aux auteures, Francine Ferland et Élisabeth Dutil, pour leur admirable devoir de mémoire et leur dévouement à la promotion de la profession. Je désire aussi remercier les Presses de l'Université de Montréal d'avoir accepté de publier ce livre. Merci également à tous les ergothérapeutes et à toutes les personnes qui ont contribué, de près ou de loin, au travail que ces deux pionnières nous laissent en héritage.

Bonne lecture !

Alain BIBEAU
Président-directeur général
Ordre des ergothérapeutes du Québec

Remerciements

Nombreuses sont les personnes qui, par leur contribution, ont permis la réalisation de *L'ergothérapie au Québec. Histoire d'une profession.* Nous voulons remercier chaleureusement :

L'Ordre des ergothérapeutes du Québec (OEQ) pour son soutien financier, l'envoi du sondage à ses membres, sa générosité à mettre à notre disposition des documents d'archives. Sans cette heureuse collaboration, notre tâche aurait été beaucoup plus ardue.

Les nombreuses personnes qui nous ont accordé de leur temps pour répondre à nos questions. Les échanges que nous avons eus avec elles nous ont permis de préciser plusieurs points et d'étoffer notre texte.

Les directeurs et les professeurs des programmes d'ergothérapie des universités du Québec à Trois-Rivières, d'Ottawa, Sherbrooke, Laval, McGill et Montréal. Nous espérons que cet ouvrage sera utile à leurs étudiants.

Merci également à Julien Prud'homme, historien à l'Université du Québec à Montréal, qui a partagé avec nous sa perception de l'ergothérapie en s'appuyant sur sa recherche relative à l'histoire des professions para-médicales au Québec.

Les personnes qui ont participé à la préparation du sondage : Réjean Prévost, pour sa précieuse assistance pour la conception et la mise en ligne du sondage ; Sylvie Scurti et Johanne Filiatrault, pour leur généreuse collaboration lors de la validation de la première version du sondage ; Jacques Gauthier, de l'OEQ, pour l'envoi du sondage et son suivi.

Tous les ergothérapeutes et les étudiants de l'Université de Montréal qui ont pris le temps de répondre au sondage que nous leur avons adressé. Leur collaboration nous a permis de valider plusieurs informations.

Le personnel de soutien: Gina Calzuola, Sylvie Jeanneau, Johanne Lahaie, de l'Université de Montréal, et France Guimond, de l'Ordre des ergothérapeutes du Québec, pour leur précieuse aide.

Et enfin, nos conjoints, Maurice Ferland et Guy Paquette, qui nous ont encouragées dans cette entreprise. Nous les remercions pour leur générosité et leur grande patience.

Avant-propos

Passionnées par notre profession et bien qu'à la retraite, une idée a germé dans notre esprit : « Si nous racontions l'histoire de l'ergothérapie au Québec ! » Cette idée nous a emballées. Comme nous avons chacune une quarantaine d'années de pratique dans la profession, nombreux ont été les souvenirs qui refluaient spontanément dans notre mémoire. L'histoire de notre profession est remplie de moments mémorables et les membres qui y ont contribué ont aussi une histoire passionnante à raconter. Ce livre, nous le destinons surtout aux jeunes ergothérapeutes, pour qu'ils sachent ce qui les a précédés, pour qu'ils connaissent les faits marquants de leur profession, pour qu'ils en aient une culture historique.

En vraies ergothérapeutes, nous ne voulions pas nous limiter à retracer seulement la pratique de l'ergothérapie ou la formation ou la recherche. Non, nous voulions couvrir tous les aspects relatifs à la profession et ce, dans tous les secteurs d'activités et, si possible, pour toutes les régions du Québec. Par déformation professionnelle, nous ne pouvions imaginer aborder cette histoire sous un seul angle. Notre projet était ambitieux, c'est le moins qu'on puisse dire. En fait, chaque chapitre aurait pu faire l'objet d'un livre. Aussi, nous avons dû nous résoudre à retracer l'histoire de notre profession avec une économie de mots. Compte tenu que la profession était exclusivement féminine jusque dans les années 1960, nous avons décidé d'écrire cette histoire au féminin jusqu'à cette période.

Pour mener à bien notre tâche, nous avons consulté de très nombreux documents, contacté plus d'une centaine de personnes représentatives des différentes périodes ciblées, incluant celles à la retraite et d'autres qui occupaient des postes de gestion. Mais comme nous voulions joindre tous les ergothérapeutes, nous avons donc envoyé un sondage à tous les membres de l'Ordre des ergothérapeutes du Québec. De plus, curieuses de connaître la perception des étudiants, nous avons souhaité envoyer un autre sondage à un groupe d'entre eux.

Nous n'avons pu avoir accès à toutes les informations souhaitées pour traiter à fond les différents thèmes abordés, parfois parce que lesdites informations n'existaient pas, parfois aussi parce que les personnes qui auraient pu nous les transmettre n'ont pu être jointes.

Dès le début de cette aventure, nous savions que le défi serait important, mais jamais autant qu'il ne s'est avéré. Dépoussiérer, une première fois, l'histoire d'une profession demande soit un courage à toute épreuve, soit une inconscience naïve.

Après trois ans de travail, nous nous sommes dit : « Voilà un héritage que nous sommes heureuses de laisser aux générations futures d'ergothérapeutes. »

FRANCINE FERLAND et ÉLISABETH DUTIL

Introduction

Parce qu'un homme sans mémoire est un homme sans vie,
Un peuple sans mémoire est un peuple sans vie.
FERDINAND FOCH

On pourrait ajouter à cette épigraphe qu'une profession sans mémoire est une profession qui évolue un peu à tâtons. C'est à partir de ce qui nous a précédés, de ce qui a été réalisé dans le passé, que nous pouvons plus facilement décider ce que nous voulons comme futur. Le passé est en quelque sorte le miroir de l'avenir : d'où l'intérêt de raconter l'histoire de l'ergothérapie au Québec.

Per mentem et manus ad sanitatece. La devise canadienne de l'ergothérapie « vers la santé par les activités mentales et manuelles[1] ».

L'ergothérapie repose ainsi sur une philosophie humaniste et s'appuie de plus en plus sur des données probantes. Les connaissances, les compétences, les habiletés de l'ergothérapeute sont mises au service des personnes dans leur quotidien. C'est là l'aspect pragmatique de l'ergothérapie qui, en fait, représente l'objet même de notre profession : redonner du sens à la vie de nos clients et améliorer leur quotidien par la voie d'une relation médiatisée par l'activité.

---

1. Robinson, I. (1981), « The mists of time », *Revue canadienne d'ergothérapie*, 48, 145-152.

Naissance de l'ergothérapie en Amérique du Nord

En Amérique du Nord, le début des années 1900 marque la naissance de l'ergothérapie, qui ne porte pas encore ce nom. À cette époque, on assiste à une réforme dans les asiles où sont soignés les patients en santé mentale. C'est l'ère du traitement moral qui émerge non seulement au Canada, mais aussi aux États-Unis : cette approche privilégie le recours à des activités avec ces patients, plutôt qu'à des contraintes physiques. Ce changement de mentalité jette les bases de l'ergothérapie en santé mentale.

Au cours de la Première Guerre mondiale, l'ergothérapie en médecine physique fait ses débuts. Les vétérans de guerre sont considérés comme à risque de développer des problèmes psychologiques et un grand nombre d'entre eux sont incapables de reprendre leur ancien emploi. Des programmes visant à les occuper durant leur convalescence, mais aussi à restaurer leurs capacités physiques, leur sont offerts. Du côté des enfants, dans les années 1920, une ergothérapeute de Toronto met sur pied un programme pour traiter ceux qui sont atteints d'infirmité motrice cérébrale.

À cette époque, les activités d'artisanat que l'on fait faire à différentes clientèles, tout en réduisant l'usage de contraintes physiques, visent plusieurs objectifs[2] : développer chez elles des habiletés pour le travail, favoriser l'apprentissage de l'enfant, promouvoir la santé, diminuer le stress.

Formation et regroupement d'ergothérapeutes

La première école d'ergothérapie au Canada est ouverte à l'Université de Toronto en 1926. Cette même année, l'Ontario Society of Occupational Therapy devient la Canadian Association of Occupational Therapists. Cette association, présidée alors par le Dr Howland, reçoit son incorporation en 1931 et publie une revue professionnelle à compter de 1933 : le *Canadian Journal of Occupational Therapy*.

La World Federation of Occupational Therapists voit le jour en 1952 et le Canada en est l'un des dix membres fondateurs.

Et au Québec ? Quand le premier regroupement d'ergothérapeutes a-t-il vu le jour ? Quand la formation a-t-elle pris place ? Comment s'est

2. Friedland, J. (2003), Muriel Driver Memorial Lecture : Why Crafts? Influences on the development of Occupational Therapy in Canada from 1890 to 1930, *Revue canadienne d'ergothérapie*, 4, 204-213.

développée cette profession ? Quelle a été l'évolution de la pratique et de la recherche ? Comment en est-on venu à la pratique privée ? Quelle contribution l'ergothérapie a-t-elle apportée à la santé publique ? Comment la perception des étudiants face à la profession a-t-elle évolué au cours des ans ?

Cet ouvrage tente de répondre à toutes ces questions. Pour chacun des thèmes abordés, nous relatons les événements marquants et nous incluons à l'occasion des témoignages et des photos. Nous faisons connaître des thérapeutes qui ont activement participé à l'évolution de la profession. C'est là une manière de rendre hommage à ces pionniers.

Nous commençons cette histoire dans les années 1930 parce qu'il s'agit de l'année où se forme le premier regroupement d'ergothérapeutes au Québec, qui fournit les premières archives disponibles. L'annexe présente la méthodologie des sondages effectués auprès des membres de l'Ordre des ergothérapeutes du Québec et auprès d'étudiants.

Dans ce genre d'entreprise, il est presque inévitable qu'il s'y glisse des oublis ou des erreurs involontaires et ce, en dépit de la démarche la plus rigoureuse possible. Nous nous en excusons. Nous espérons que la passion qui nous anime pour l'ergothérapie sera ressentie tout au long de ces pages.

1

L'organisme professionnel

> On ne connaît pas complètement une science
> tant qu'on n'en sait pas l'histoire.
>
> AUGUSTE COMTE
> *Cours de philosophie positive*

L'histoire des ergothérapeutes québécois est celle des nombreux défis que la profession a dû relever pour occuper sa position actuelle dans le réseau de la santé et des services sociaux. Commençons cette histoire en retraçant l'évolution de l'organisme professionnel qui a connu diverses appellations au cours des ans.

Les débuts

En 1928, une poignée d'*occupational therapists*, des jeunes femmes de langue anglaise, décident de fonder la Quebec Society of Occupational Therapy Inc. (QSOT), qui obtient son incorporation provinciale deux ans plus tard. Le nom français officieux de l'organisme est alors Société d'occupation thérapie du Québec inc. dont Jeanne Crevecœur est la présidente. À sa suite, 25 femmes assumeront successivement cette fonction pour des mandats d'un à deux ans.

Au début des années 1960, des diplômées de l'Université de Montréal s'impliquent à la QSOT et voient à franciser en bonne et due forme le nom

> Dec 9th
> 1930.   A meeting of the "Quebec Society of Occupational Therapy" was held on Dec 9th, at the Montreal Club" 3426 McTavish St. At that meeting it was decided to form a new Society called the "Quebec Society of Occupational Therapy Incorporated".

Extrait d'un procès-verbal de 1930, tiré des archives de l'OEQ

de l'organisme. Après avoir pris contact avec des collègues français et suisses pour connaître les appellations qu'ils utilisent, elles suggèrent les mêmes, soient « ergothérapie » et « ergothérapeutes » au lieu de la traduction littérale *occupation thérapie* et *thérapeutes d'occupation*. C'est ainsi qu'en 1964, la QSOT devient la Société des ergothérapeutes du Québec (SEQ)[1].

Ces diplômées francophones demandent que les réunions, tenues jusque-là exclusivement en anglais, soient dorénavant bilingues et qu'elles aient aussi lieu dans les milieux francophones. Grâce à leur détermination, elles obtiennent gain de cause. De plus, elles peuvent désormais s'adresser au président d'assemblée dans leur langue, et les documents, rapports d'assemblées générales et procès-verbaux sont rédigés dans les deux langues.

Le 6 juillet 1973, le projet de loi 250 sur le *Code des professions*, appelé à l'époque « bill 250 », reconnaît la profession d'ergothérapeute. Le projet de loi n'entre toutefois en vigueur qu'en février 1974 et c'est alors que la Corporation professionnelle des ergothérapeutes du Québec (CPEQ) est constituée.

Avec la réforme du système professionnel les corporations professionnelles changent de nom et deviennent des ordres professionnels en 1994. La Corporation professionnelle des ergothérapeutes du Québec devient donc l'Ordre des ergothérapeutes du Québec (OEQ).

L'évolution

Le tableau 1 présente la liste des ergothérapeutes à la présidence de la SEQ, de la CPEQ, puis de l'OEQ, de 1964 à nos jours.

À l'Association canadienne des ergothérapeutes (ACE), ce n'est qu'en 1966 qu'une ergothérapeute, Thelma Caldwell, accède au poste de prési-

1. Archives de l'OEQ, QSOT Minutes 1961-1964.

dente[2]; au Québec, dès la création de la QSOT, c'est une ergothérapeute qui occupe ce poste. L'une d'elles détient un record de longévité à ce poste : Françoise Rollin, qui a assumé cette fonction de 1990 à 2010 ! En 2010, pour la première fois, les ergothérapeutes élisent un homme à la présidence de leur organisme : Alain Bibeau.

TABLEAU 1

Présidence de la SEQ, de la CPEQ et de l'OEQ

SEQ (1964-1973)	CPEQ (1973-1994)˙	OEQ (1994-)
1964-1965 : Jeannette Hutchison	1973-1975 : Micheline Saint-Jean	1994-2010 : Françoise Rollin
1965-1967 : Andrea Blanar	1975-1978 : Francine Drouin-Cloutier	2010- : Alain Bibeau
1967-1968 : Beverlea Tallant	1978-1980 : Lise Labonté (intérim)	
1968-1969 : Sandra Everitt	Louise Marchessault	
1969-1972 : Gisèle Bergeron	1980-1982 : Renée O'Dwyer	
Juin-oct. 1972 : Micheline Saint-Jean (intérim)	1982-1984 : Linda Manzo	
Oct. 1972- mai 1973 : Gisèle Bergeron	1984-1986 : Lise Petitclerc	
	1986-1990 : Huguette Picard	
	1990-1994 : Françoise Rollin	

TABLEAU 2

Évolution du nombre de membres et des cotisations

Année	Nombre de membres	Cotisations ($)
1932	12	N.D.*
1950	30	N.D.
1955	52	3
1974-1975	298	50
1979-1980	476	225
1984-1985	701	230
1989-1990	1189	275
1994-1995	1821	385
1999-2000	2487	385
2004-2005	3288	485
2009-2010	4109	520

* N.D. : non disponible

2. Cockburn, L. (2001), Les années professionnelles : L'ACE dans les années 1950 et 1960, *Actualités ergothérapiques*, mai-juin, 5-9.

À compter de 1989, l'augmentation importante des membres est liée à l'accroissement des cohortes étudiantes dans les universités. Le 15 octobre 2009, l'OEQ accueille son 4 000e membre. Par ailleurs, la profession a toujours été largement féminine : par exemple, les ergothérapeutes masculins ne représentaient que 2,8 % des membres en 1979[3] et 7 % en 2008[4].

Quant aux cotisations, elles évoluent au rythme des besoins de l'organisme. Les archives de l'OEQ nous apprennent qu'elles étaient de 3 $ en 1955 alors qu'elles sont maintenant de 520 $.

Ratio ergothérapeutes-population

Dans son rapport annuel de décembre 2009 présentant les tendances pour la profession d'ergothérapeute, l'Institut canadien d'information sur la santé (ICIS) indique que le Québec a le plus grand nombre d'ergothérapeutes par habitant au Canada, soit 51 par 100 000 habitants.

L'organisation

Dans les premières années de la QSOT, les réunions se tiennent au domicile d'une des ergothérapeutes, le plus souvent chez la présidente, et les procès-verbaux sont manuscrits. C'est par la poste que la QSOT communique avec ses membres.

Les premiers locaux de l'organisme professionnel sont situés rue Sainte-Catherine, à Montréal. En 1981, la CPEQ déménage boulevard de Maisonneuve. En 1988, elle emménage rue Berri, où elle partage des locaux avec l'Ordre des agronomes. En 1997, l'OEQ s'installe au 2021, rue Union où il se trouve encore aujourd'hui.

La création de la CPEQ, en 1974, requiert la mise en place de diverses structures imposées par le *Code des professions*, puisque les corporations doivent désormais assurer la protection du public. Il revient alors à la CPEQ de délivrer les permis de pratique aux membres, de tenir à jour le tableau des membres, de former un bureau de direction et de se doter d'un syndic et de divers comités (formation, inspection professionnelle, discipline). Il faut aussi adopter le *Code de déontologie des ergothérapeutes*, ce

---

3. Rapport annuel de la CPEQ, 1978-1979.
4. Rapport annuel de l'OEQ, 2007-2008.

qui sera fait en 1979. Les divers comités comptent de nombreux ergothérapeutes bénévoles, alors que le nombre de membres en 1974-1975 n'est que de 298.

Par ailleurs, le personnel de la CPEQ augmente au fil des ans pour répondre aux besoins grandissants de l'organisme. La mise sur pied des divers comités requiert l'embauche d'une secrétaire à temps partiel. Toutefois, compte tenu de la situation financière de l'organisme, on se contente de retenir quelques heures de secrétariat par semaine. En 1981, la présidente, qui est également directrice générale, est la seule employée à temps plein ; elle est assistée d'une secrétaire administrative et d'une secrétaire-réceptionniste. On procède ensuite à l'embauche d'un coordonnateur et d'une secrétaire à temps partiel pour l'inspection professionnelle. En 1984, le poste de p.-d.g. est scindé en deux fonctions distinctes. De 1989 à 2009, le poste de directeur général est occupé par une personne qui n'est pas ergothérapeute. En 1995, un nouveau poste est créé à l'OEQ, celui de responsable des services professionnels.

En 1990, outre la présidente, un seul ergothérapeute fait partie des huit membres permanents ; il agit à titre d'adjoint aux services professionnels. Vingt ans plus tard, en 2010, le nombre de postes occupés par des ergothérapeutes est de sept. Ceux-ci travaillent à la direction de l'OEQ, au développement de la profession, à l'inspection professionnelle, à la formation continue, à la direction de l'amélioration continue de la pratique et à titre de syndic. L'ordre compte huit administrateurs jusqu'en 1996. Après, ils seront seize, dont trois nommés par l'Office des professions.

À partir de 1976, les données relatives aux membres sont entrées manuellement et l'OEQ publie un répertoire annuel de ces derniers. En 1998-1999, on utilise une première base de données pour l'inscription des membres. Une nouvelle version est créée en 2008.

L'OEQ lance son premier site Web en septembre 2001. Au cours des années subséquentes, plusieurs ajouts y sont apportés, particulièrement dans la section réservée aux membres : lignes directrices, guide de l'ergothérapeute... En juin 2003, on ajoute les données relatives à l'inscription au tableau des membres. À partir de 2005, le grand public peut y trouver le nom des lauréats des prix et mentions. En mai 2008, une nouvelle version du site Web est mise en ligne et propose, entre autres, diverses chroniques pour expliquer le rôle de l'ergothérapeute au grand public.

Les grands enjeux

Être connus et reconnus tant par les autres professionnels que par le grand public a toujours été un enjeu de taille pour les ergothérapeutes. Par ailleurs, l'organisme professionnel regroupant les ergothérapeutes a toujours eu à cœur de faire connaître son avis dans différents dossiers.

Reconnaissance professionnelle

Dans ses débuts, la QSOT tient de nombreuses activités sociales, telles que parties de bridge, danse, exposition et vente de projets réalisés dans les unités d'ergothérapie. Ces événements visent deux buts : faire connaître la « thérapie d'occupation » et amasser des fonds. En 1952, les archives nous apprennent que 30 $ des profits de la danse annuelle sont alloués à l'achat de revues professionnelles pour la bibliothèque de la QSOT, qui se situe alors à l'Université McGill, puisque la société ne dispose pas encore de locaux.

Il se tient aussi quelques activités de nature plus clinique à la QSOT. Ainsi, en 1931, cinq « thérapeutes d'occupation » du Québec participent à un congrès conjoint de la Canadian Association of Occupational Therapists (CAOT) et de l'American Association of Occupational Therapists (AAOT), à Toronto ; une conférence est donnée par le Dr Peddley sur le développement de la « thérapie d'occupation » à Montréal ; Theodora Lambert, une « thérapeute d'occupation » du Québec, visite des institutions en Angleterre.

Pour faire connaître la profession, la QSOT utilise aussi les journaux. En 1944, Ethel Clarke, ergothérapeute, décrit ainsi la « thérapie d'occupation » dans le *Montreal Daily Star* : « c'est l'application scientifique de l'activité afin de traiter des conditions physiques et mentales » (traduction libre). Dans une entrevue parue dans *The Gazette*, le 14 mars 1947, K. Suter, ergothérapeute à l'Hôpital Royal Victoria, mentionne : « la "thérapie d'occupation" pratiquée dans les hôpitaux généraux contribue à diminuer la période d'hospitalisation et aide les patients à recouvrer la santé de façon optimale » (traduction libre).

Des non-ergothérapeutes, tels que des professeurs d'artisanat, sont acceptés dans les rangs de la QSOT et des médecins spécialistes y sont accueillis en tant que membres honoraires. Toutefois, dans la seconde moitié des années 1950, compte tenu des enjeux relatifs à la promotion de la profession proprement dite, la QSOT ferme ses portes aux non-diplômés tout en gardant un conseil de membres honoraires. En 1956, dans ce conseil, on retrouve entre autres les Drs Wilfrid Bonin et G. Lyman Duff, tous deux doyens de la Faculté de médecine, le premier de l'Université de Montréal et le second de l'Université McGill ; le Dr Jean Grégoire, député et ministre de la Santé ; ainsi que les Drs Guy Fisk et Gustave Gingras, qui joueront un rôle important dans la mise en place des programmes de formation en ergothérapie aux universités McGill et de Montréal.

Par ailleurs, l'organisme professionnel considère qu'une plus grande reconnaissance professionnelle passe par la négociation de meilleurs salaires et conditions de travail. En 1958, la QSOT appelle ses membres à boycotter tout emploi à l'Hôpital Royal Victoria, tant que cet établissement n'aura pas relevé ses barèmes salariaux[5].

En 1962, la QSOT présente un mémoire sur la profession au Québec à la Royal Commission on Health Services. Il y est mentionné que des salaires plus alléchants seraient une façon d'attirer davantage de personnes dans la profession. On prévoit d'ailleurs qu'un nombre plus important de thérapeutes sera requis dans les années à venir, particulièrement dans le domaine de la gériatrie, compte tenu de la population grandissante de personnes âgées (et on n'est qu'en 1962 !), dans les cliniques externes qui commencent à se développer, dans les programmes à domicile et les ateliers protégés. Dans ce mémoire, on constate une pénurie de « thérapeutes d'occupation », aggravée par le roulement de ces professionnels et un nombre insuffisant de programmes de formation. Pour l'ensemble de la province, on ne compte que 58 « thérapeutes d'occupation » : 51 à Montréal et dans sa banlieue, 6 à Québec et 1 à Trois-Rivières. La formation au Québec n'est alors donnée qu'à l'Université de Montréal et à l'Université McGill. Pour éviter le roulement des thérapeutes, la QSOT propose dans ce mémoire que les établissements les embauchent pour un contrat minimum d'un an. Par ailleurs, on recommande que toutes les universités québécoises offrent un programme de formation en ergothérapie afin de pallier la pénurie de thérapeutes. En 1963, la QSOT réclame des échelles salariales plus élevées pour les ergothérapeutes à l'Association des hôpitaux du Québec, qui est l'organisme qui fixe les salaires.

5. Archives de l'OEQ, QSOT Minutes 1952-1963, réunion du 2 mars 1963.

En 1968, la SEQ présente à nouveau un mémoire, cette fois à la Commission d'enquête sur la santé et le bien-être: la situation a peu changé depuis 1962 et les revendications pour l'ergothérapie deviennent plus spécifiques. On demande un statut légal pour la profession, soit l'adoption d'un projet de loi privé par l'Assemblée législative, qui permettrait de contrôler la formation scolaire, d'assurer la compétence nécessaire pour l'administration de traitements adéquats et de restreindre l'exercice de la profession aux personnes dûment qualifiées. Quant à la formation, on y souligne l'importance que les étudiants obtiennent un baccalauréat, soit un grade universitaire plutôt qu'un diplôme comme c'est alors le cas, et que des cours soient conçus pour mener aux études supérieures, ce qui permettrait de développer la recherche dans la profession. De plus, s'appuyant sur la recommandation de l'Association médicale canadienne (AMC), on recommande que les écoles d'ergothérapie soient sous l'égide d'une faculté de médecine. Une échelle de salaire plus élevée est à nouveau demandée pour les ergothérapeutes.

L'ergothérapie, une modalité de la physiothérapie?

Vers la fin des années 1960, d'importants travaux sont entrepris par la SEQ pour réagir au projet de loi du *Code des professions* qui sera présenté en 1972 à l'Assemblée nationale. Dans son avant-projet de loi, le ministre Claude Castonguay propose que l'ergothérapie soit une modalité de la physiothérapie.

Le 29 août 1972, la SEQ présente à la commission parlementaire un mémoire préparé pendant de longs mois par Thérèse Derome, Françoise Poirier, Colette Tracyk et Louise Vincent. Une cinquantaine de jeunes ergothérapeutes – tous les ergothérapeutes étaient jeunes à cette époque – font une entrée très remarquée à la mezzanine du Salon rouge de l'Assemblée nationale. Contrairement à la plupart des regroupements professionnels qui laissent le soin à leur conseiller juridique de présenter leur mémoire, les ergothérapeutes décident de le faire elles-mêmes. C'est Micheline Saint-Jean, en remplacement de Louise Vincent, assistée de Colette Tracyk et de Françoise Poirier, qui présente ce mémoire à la commission parlementaire.

Outre la demande de retirer l'ergothérapie en tant que modalité de la physiothérapie, la SEQ démontre dans son mémoire que l'ergothérapie répond aux critères pour être reconnue comme une profession à part entière. Ces cinq critères, définis dans l'avant-projet de loi, sont:

1) les connaissances requises pour exercer des activités professionnelles;
2) l'autonomie dont jouissent les professionnels et la difficulté de porter un jugement sur leurs activités pour des gens ne possédant pas une formation et une qualification de même nature;
3) le caractère personnel des rapports entre les professionnels et les gens qui recourent à leurs services;
4) la gravité du préjudice qui pourrait être subi si les services étaient rendus par des personnes incompétentes;
5) le caractère confidentiel des renseignements que les professionnels sont appelés à connaître dans l'exercice de leur profession.

De plus, on y précise que 27 pays et 3 provinces canadiennes (Manitoba, Nouvelle-Écosse et Saskatchewan) ont déjà reconnu la profession d'ergothérapie.

Par ailleurs, un autre mémoire préparé cette fois par le personnel enseignant des universités offrant un programme d'ergothérapie est présenté à cette commission parlementaire par Micheline Marazzani, Chantale Mathieu, Joyce Field, Françoise Poirier et Beverlea Tallant. Ce mémoire recommande aussi que l'ergothérapie soit retirée de la loi des physiothérapeutes et qu'une loi distincte soit instituée pour régir les conditions d'admission et la pratique de l'ergothérapie pour le plus grand bien du public. Enfin, un mémoire est également présenté par des étudiants en ergothérapie de l'Université de Montréal et de l'Université McGill: Denise Chèvrefils, Nancy Esar, Manon Laporte, Madeleine Guimond, Monique Laurin et Gilles Cayer. Soulignons que les ergothérapeutes ont été le seul regroupement professionnel à avoir présenté plus d'un mémoire à cette commission.

Toutes ces démarches portent fruit et le message est bien entendu par la commission parlementaire, puisque l'ergothérapie obtient sa reconnaissance professionnelle et, tel qu'on l'a dit précédemment, la SEQ devient en février 1974 la Corporation professionnelle des ergothérapeutes du Québec (CPEQ). Étant légalement reconnus comme professionnels autonomes, les ergothérapeutes n'ont dorénavant plus besoin de prescription médicale pour intervenir auprès d'un patient.

Quant au salaire, il faudra une grève pour en arriver à une rémuné-ration comparable à d'autres groupes professionnels de formation simi-laire, ce dont il sera question plus loin (voir le chapitre 3).

E.p. ou Erg. ?

En 1980, la CPEQ s'oppose à l'utilisation des initiales *e.p.*, soit ergothéra-peute professionnel, à la suite du nom de ses membres et ce, pour deux raisons : d'une part, en ajoutant *professionnel* à *ergothérapeute* il y a redondance, car en vertu du *Code des professions*, l'utilisation d'*ergothé-rapeute* confère au membre un statut de professionnel. D'autre part, le public pourrait associer les initiales *e.p.* à éducateur physique*. Au cours de l'année 1980-1981, des abréviations et des initiales sont identifiées aux titres professionnels réservés et les ergothérapeutes apposent doré-navant « erg. » à la suite de leur nom.

*Rollin, F. (1991), Le mot du président, *Le Transfert*, 5 (2).

La profession d'ergothérapeute et le grand public

En novembre 1991, la CPEQ mandate une maison de sondage pour connaître la perception des Québécois de la profession d'ergothérapeute. Les résultats indiquent que les ergothérapeutes sont connus par 42,4 % des répondants, qu'ils sont perçus avant tout comme des professionnels en réadaptation physique (59,8 %). Parmi les gens qui connaissent la pro-fession, 50,8 % reconnaissent l'ergothérapeute comme un spécialiste du quotidien[6]. À la suite de ces résultats, la CPEQ adopte un plan d'action visant la promotion et la reconnaissance de la profession, ainsi que la représentation active des ergothérapeutes sur les plans politique et social.

Avis sur différents dossiers

De tout temps, les ergothérapeutes ont tenu à faire connaître leurs posi-tions aux instances politiques. Déjà en 1932, la QSOT envoie à la CAOT une pétition contre la fermeture de l'Hôpital Sainte-Anne-de-Bellevue, pour qu'elle soit acheminée au ministre du Department of Pensions and National Health.

Par ailleurs, outre les mémoires mentionnés précédemment, la CPEQ, puis l'OEQ, a su développer un leadership politique, investissant temps

---

6. Rollin, F. (1993), Éditorial, *Revue québécoise d'ergothérapie*, 2 (2).

et argent pour faire connaître son avis sur le système de santé et des services sociaux et sur la place que les ergothérapeutes doivent y occuper. Les décideurs prennent graduellement l'habitude de consulter l'OEQ, qui devient un partenaire actif sur les plans politique et décisionnel. Voici quelques exemples des sujets sur lesquels l'organisme s'est prononcé au cours des ans :

- Lois sur les accidents de travail et les maladies professionnelles (1986) ;
- Politique en santé mentale (1989) ;
- Commission Rochon sur le projet de loi 120, soit la *Loi sur les services de santé et des services sociaux et modifiant diverses dispositions législatives* (1991) ;
- Commission parlementaire sur l'avant-projet de loi modifiant le *Code des professions* et d'autres lois professionnelles (1993) ;
- Programme cadre pour les personnes ayant une déficience physique (1993) ;
- Les thérapies alternatives (1993) ;
- La reconnaissance professionnelle des personnes qui appliquent les techniques d'orthèses et de prothèses (1993) ;
- Commission Clair sur l'étude des services de santé et des services sociaux (2001) ;
- Groupe ministériel sur les professions de la santé et des relations humaines (groupe Bernier) (2001) ;
- La modernisation de la pratique professionnelle en santé mentale (rapport Trudeau) (2006) ;
- L'utilisation des couvertures proprioceptives (2008).

Par ailleurs, pour assurer des services d'ergothérapie de qualité à la population, l'organisme produit divers documents à l'intention de ses membres :

- *Normes de compétences pour la pratique de l'ergothérapie au Québec* (1989, 1991) ;
- *Guide de pratique de l'ergothérapeute* (1993) ;
- *Énoncé de pratique et énoncé de principe* (1994) ;
- *L'ergothérapie en milieu scolaire* (2000) ;
- *Compétences et responsabilités professionnelles* (2004) ;

- *Formation continue de l'ergothérapeute* (2004) ;
- *Compétences et responsabilités professionnelles – Guide de l'ergothérapeute* (2004) ;
- *Rôle de l'ergothérapeute auprès des personnes présentant des difficultés à s'alimenter ou à être alimentées* (2001, 2006) ;
- *La participation du personnel non ergothérapeute à la prestation des services d'ergothérapie* (2005, 2008) ;
- *Interventions relatives à l'utilisation d'un véhicule routier – Guide de l'ergothérapeute* (2008) ;
- *L'ergothérapeute au sein des services de santé mentale en première ligne* (2009) ;
- *Référentiel de compétences lié à l'exercice de la profession d'ergothérapeute au Québec* (2010).

Le projet de loi 90, soit la *Loi modifiant le* Code des professions *et d'autres dispositions législatives dans le domaine de la santé*, revoit le champ d'exercice de certaines professions de la santé, et identifie pour chacune d'elles des activités qui leur sont réservées mais qui peuvent aussi être partagées avec d'autres professionnels. Les dispositions visant les ergothérapeutes entrent en vigueur en juin 2003 et l'OEQ publie, en février 2004, un guide qui expose les fondements des nouvelles dispositions législatives, puis les applications dans la pratique professionnelle des ergothérapeutes.

Quatre activités sont réservées aux ergothérapeutes : 1) l'évaluation fonctionnelle d'une personne lorsque cette évaluation est requise en application d'une loi ; 2) l'évaluation de la fonction neuro-musculo-squelettique d'une personne présentant une déficience ou une incapacité de sa fonction physique ; 3) des traitements reliés aux plaies ; et 4) la décision concernant les mesures de contention. L'OEQ produit deux guides à l'intention des ergothérapeutes pour préciser les actes 3 et 4 : *Les mesures de contention : de la prévention à leur utilisation exceptionnelle - Guide de l'ergothérapeute* en 2006, et *Prodiguer des traitements reliés aux plaies - Une activité réservée aux ergothérapeutes*, en 2007.

Par ailleurs, avec le projet de loi 90, le champ d'exercice de l'ergothérapie s'enrichit également d'une mission commune à tous les professionnels de la santé, soit informer et promouvoir la santé auprès des individus, des familles et des collectivités, et prévenir la maladie, les accidents et les problèmes sociaux. Ce volet de prévention et de promotion de la santé a été abordé bien avant 2003, en ergothérapie (voir le chapitre 4).

Réactions aux compressions budgétaires et à la réorganisation des services de santé

À compter de 1994, on assiste à une vague de compressions budgétaires et à une rationalisation des services dans le réseau de la santé. En 1995, le système de santé et des services sociaux s'oriente vers un virage ambulatoire qui prévoit d'offrir davantage de services dans la communauté et réduire le nombre d'hospitalisations ou, à tout le moins, la durée de celles-ci. Dorénavant, les Centres locaux de santé communautaire (CLSC) deviennent la porte d'entrée du système de santé. On vise de la sorte à favoriser le retour des patients dans leur milieu de vie le plus tôt possible, où ils pourront recevoir les services complémentaires dispensés par leur CLSC, pour lesquels on prévoit d'augmenter en conséquence les budgets. Malgré quelques ratés – entre autres, les budgets annoncés ont tardé à venir pour compenser les réductions de services en centres hospitaliers –, ce virage a clairement favorisé le transfert de services vers la communauté.

Lors d'une entrevue, Françoise Rollin, alors présidente de l'OEQ, rappelle le défi que devait relever la profession :

> Il nous fallait démontrer que les ergothérapeutes devaient davantage faire partie des équipes dans les CLSC. On était peu nombreux à cette époque-là et on souhaitait nous réserver pour les services spécialisés, mais c'était utile et nécessaire que les ergothérapeutes soient dans les services de première ligne.

Pour favoriser le virage ambulatoire dans la profession, l'OEQ fait une enquête auprès de ses membres, élabore un plan d'action visant à diffuser les changements à venir et à favoriser les échanges entre les ergothérapeutes, produit en 1977 un dépliant comme outil promotionnel, *L'ergothérapie et le virage ambulatoire*, et tient des soirées de rencontres pour les ergothérapeutes.

Ces diverses actions semblent porter fruit puisque, en juillet 2002, le ministère de la Santé et des Services sociaux (MSSS) évalue fort positivement l'apport de l'ergothérapie dans le courant du virage ambulatoire et de la désinstitutionalisation dans le document *Planification de la main-d'œuvre dans le secteur de la réadaptation physique* :

L'ergothérapie s'est avérée et demeure l'une des ressources professionnelles les plus appropriées pour atteindre les objectifs visés. La volonté de faire en sorte que les patients hospitalisés, les personnes hébergées et les personnes à domicile en perte d'autonomie puissent réapprendre à fonctionner dans leur quotidien ou conserver leur autonomie a conduit au recrutement d'un grand nombre d'ergothérapeutes. (p. 118)

Pénuries d'ergothérapeutes

Les pénuries d'ergothérapeutes se manifestent à différents moments dans l'histoire de la profession. Déjà vers la fin des années 1940, le Dr Gustave Gingras constate une insuffisance de «thérapeutes d'occupation». Comme nous l'avons vu précédemment, en 1962, la QSOT mentionne aussi une pénurie dans un mémoire qu'elle présente à la Royal Commission on Health Services. En 1976, le rapport *Opération Sciences de la Santé* (OSS), rédigé par le ministère de l'Éducation en collaboration avec le ministère des Affaires sociales, et qui vise à rationaliser l'enseignement supérieur, estime un besoin de 600 ergothérapeutes, alors qu'il n'y en a que 232 ; on y propose de hausser le nombre total d'admissions de 75 à 100 étudiants par année.

En 1986, la CPEQ mène des enquêtes et des consultations pour tenter à nouveau de quantifier la pénurie. En 1988, le MSSS crée le Groupe de travail sur la main-d'œuvre en ergothérapie. Son rapport, déposé en mars 1989, indique qu'il faudrait, dans les cinq années suivantes, 121 nouveaux postes d'ergothérapeutes en centres hospitaliers de courte durée, 60 nouveaux postes en centres d'accueil et de réadaptation, 413 postes en centres d'accueil et d'hébergement, 84 postes en centres hospitaliers de soins de longue durée et, enfin, 98 postes supplémentaires en CLSC, pour un total de 776 postes. Or, seulement 623 nouveaux diplômés arriveront sur le marché pendant cette période.

En 2000-2002, un nouveau groupe de travail, cette fois sur la main-d'œuvre en réadaptation physique, est mis sur pied par le MSSS[7]. Sur la base des études menées sur les postes vacants et les besoins exprimés par les établissements, on estime que, dès septembre 2002, 85 étudiants de plus devront être admis en ergothérapie pour résorber la pénurie en cinq ans. Un suivi du *Rapport sur la planification de la main-d'œuvre dans le secteur*

7. Ministère de la Santé et des Services sociaux, *Planification de la main-d'œuvre dans le secteur de la réadaptation physique*, juillet 2002.

de la réadaptation physique, publié en juin 2004, estime que l'écart cumu-
latif entre l'attrition, les besoins de recrutement et les diplômés disponibles
se traduira en 2020 par un manque de 928 ergothérapeutes. Ceux qui s'inscrivent en ergothérapie n'ont donc pas à craindre le chômage.

À chaque estimation de pénurie en ergothérapie, on évalue la possibilité d'augmenter les cohortes étudiantes des programmes universitaires
(voir le chapitre 2).

Internat sous la responsabilité de la CPEQ

Dès ses débuts, la formation des ergothérapeutes au Québec comprend un
stage appelé internat. Ce stage à temps plein vient compléter la formation
et se fait à la fin des études. Avec le temps, sa durée varie, passant de six à
quatre mois. Jusqu'en 1975, ce stage est régi par l'ACE ; ensuite, la CPEQ en
assumera la responsabilité. Cet internat permet de répondre au minimum
de 1 200 heures de stage clinique qu'exige l'ACE pour les programmes de
formation en ergothérapie. La Fédération mondiale des ergothérapeutes
(FME) ne demande que 1 000 heures de stage, mais la CPEQ respecte la
norme canadienne exigée. En plus des heures requises pour l'obtention du
diplôme universitaire, on exige 560 heures de formation clinique pour
atteindre les 1200 heures de stage et obtenir le permis de pratique.

En 1981, l'Office des professions du Québec remet en question la pertinence de cet internat qu'il considère comme une condition supplémen-
taire exigée par la CPEQ. Un mémoire signé par la CPEQ demande au
gouvernement de reconnaître la nécessité de l'internat en ergothérapie,
de le maintenir sous sa responsabilité s'il ne peut être intégré dans les
programmes universitaires en plus de la période actuelle de formation
théorique et pratique, et d'établir des mécanismes obligatoires de concer-
tation entre les universités et la CPEQ[8]. Ce dossier ne se conclura qu'en
1994, alors que l'internat sera intégré aux programmes universitaires.

Formation de base

En 1992, la CPEQ donne à son comité de formation en ergothérapie
le mandat d'examiner les besoins de formation des ergothérapeutes

---

8. O'Dwyer, R. (1981), Mot du président, *Le Transfert*, 5 (2), 3.

du Québec. À la suite de son analyse[9], ce comité précise d'abord les domaines à améliorer : 1) la consolidation du savoir-être dans une relation thérapeutique médiatisée par l'activité et 2) l'approfondissement des connaissances, habiletés et attitudes d'intervention dans certains domaines de pratique. Par ailleurs, des secteurs de recherche à développer sont également identifiés : 1) la connaissance approfondie du médium d'intervention spécifique à l'ergothérapie (activité-occupation) ; 2) le développement des méthodes thérapeutiques ; et 3) la validation des interventions. Le Comité conclut à la pertinence d'exiger dorénavant une maîtrise plutôt qu'un baccalauréat pour la formation de base, ce qu'il réaffirme en 2000, en publiant l'*Énoncé de principe quant au diplôme de formation donnant accès à la profession d'ergothérapeute au Québec*.

En 2002, l'OEQ confie à la firme Éduconseil inc. le mandat de procéder à une analyse documentaire des compétences requises chez les ergothérapeutes et de la scolarité nécessaire pour y parvenir. Dans le rapport remis par cette firme et acheminé par l'OEQ aux autorités concernées, on peut lire que les compétences requises pour la pratique professionnelle sont du niveau de la maîtrise.

Les ergothérapeutes qui se font entendre aux états généraux sur la profession, dont il sera question plus loin, sont également d'avis qu'il faut hausser la formation de base des ergothérapeutes. Le règlement reconnaissant les premiers diplômes de maîtrise en ergothérapie comme donnant droit au permis de l'OEQ entre en vigueur le 22 octobre 2009.

Les moyens et les activités

Au fil des ans, l'organisme professionnel recourt à divers moyens et activités pour communiquer avec ses membres, favoriser l'échange entre eux, s'assurer du maintien de leurs compétences dans une perspective de protection du public, et faire connaître et reconnaître la profession par la population et les autres professionnels.

---

9. Trudel, L. et Marazzani, M.-H. (1996), La formation en ergothérapie après le baccalauréat, *Revue québécoise d'ergothérapie*, 5 (1), 21-24.

Revue professionnelle

La publication d'une revue professionnelle est un de ces moyens et elle connaît de nombreux changements au fil des ans. En janvier 1971, le premier numéro de *Bulletin*, rédigé en anglais et en français par le comité de publicité, est envoyé aux membres. Le *Bulletin* paraît environ six fois par année et propose diverses rubriques, dont les activités du Bureau de direction, les ressources, les articles et volumes publiés, les méthodes de travail des ergothérapeutes, les cours, congrès et colloques, les emplois disponibles, la recherche et les étudiants.

Ergothérapeutique ou ergothérapique ?

Dans le *Bulletin* de mars 1976, on peut lire que les professeurs de l'Université de Montréal ont consulté la grammairienne de cette institution pour savoir quel adjectif devrait être employé : ergothérapeutique ou ergothérapique. Sa réponse ? Ergothérapeutique. Toutefois, une lettre de la Régie de la langue française reproduite dans le *Bulletin* de mars 1977 stipule que la forme correcte de l'adjectif est ergothérapique.

En novembre 1978, le *Bulletin* est remplacé par *Le Transfert*. Ce nom a été choisi pour son lien avec l'ergothérapie. Il fait référence à l'action de transmettre ses idées et ses opinions à une autre personne, mais aussi au passage d'un siège à un autre, ou au lit, à la baignoire, etc. en médecine physique, tout autant qu'au déplacement de sentiments par le patient sur son thérapeute en santé mentale. Publié quatre fois par année, *Le Transfert* a 12 pages au début, et on en tire 400 exemplaires. Ensuite, un thème est proposé à chaque numéro puis le nombre de pages augmente à 28 quelques années plus tard. Ce format convient maintenant aux articles plus élaborés et au moins un article de fond est publié dans chaque numéro. Cette revue en vient à refléter de plus en plus la pratique de l'ergothérapie au Québec en faisant connaître les réalisations d'ergothérapeutes de plusieurs centres et régions. En 1991, le tirage est de 1 700 exemplaires et comporte diverses chroniques : « Recherche et études cliniques », « Porte-parole de la relève, le R.E.M.I. (Regroupement des ergothérapeutes en micro-informatique) vous informe », « Lu pour vous », « Saviez-vous que ? ».

> **Des ergothérapeutes mettent leur créativité au service de l'organisme professionnel**
>
> Gisèle Talbot crée le premier logo de la CPEQ en 1978. Le nom retenu pour la revue fait l'objet d'un concours auprès des membres et c'est Diane D. Bédard qui le remporte en suggérant *Le Transfert*. La conception graphique de l'entête de la revue est aussi l'œuvre d'une ergothérapeute, Lucie Allard.

De 1978 à 1992, les thèmes qui ont fait l'objet de plus de 20 publications dans *Le Transfert* ont été : les aides techniques (40), la gérontologie (29), la pédiatrie (28), la médecine physique adulte (21) et la philosophie (24)[10]. Dans cette dernière catégorie, mentionnons, entre autres, les textes de deux professeurs de l'Université Laval, Jean-Guy Jobin et Anne Lang-Étienne, qui tiennent chacun une chronique, respectivement « Le temps de la lecture et la lecture du temps », de 1982 à 1986, et « L'ergothérapie et nous », de 1984 à 1986.

Parallèlement à la publication du *Transfert*, *Nouvelles* voit le jour en février 1990. Ce bulletin vise à transmettre de l'information d'intérêt général sur les activités de la CPEQ : dix numéros sont publiés annuellement.

En septembre 1992, la *Revue québécoise d'ergothérapie* remplace *Le Transfert*. Par cette revue professionnelle, la CPEQ désire non seulement promouvoir l'ergothérapie au Québec, mais également établir son

---

10. Numéro spécial, Index 1976-1992, *Le Transfert*, août 1992, 7-10.

leadership sur la scène internationale francophone[11]. Doté d'un comité de lecture, la revue s'oriente de plus en plus vers la publication d'articles scientifiques. Outre ces articles, on peut y lire entre autres l'éditorial de la présidente de l'Ordre, l'annonce des publications des membres, un article rédigé par des étudiants. Dans un souci de rejoindre davantage les ergothérapeutes anglophones, le « Mot de la présidente », puis l'« Éditorial » sont traduits en anglais.

Tout comme dans *Le Transfert*, certains numéros sont rédigés autour d'un thème : par exemple, la recherche, la santé mentale, la démence, la gestion du quotidien. La *Revue québécoise d'ergothérapie* paraît quatre fois par année jusqu'en 1998, puis sa périodicité diminue à deux fois par année en 2000, et en 2001, un seul numéro, son dernier, est publié en avril.

Nombreux sont les ergothérapeutes à réagir à la décision de ne plus produire la revue ; une pétition est même envoyée à l'Ordre pour lui demander de revenir sur sa décision. Dans le dernier numéro de la revue, l'OEQ précise que les obligations associées à sa publication sont démesurées, compte tenu des ressources humaines, matérielles et financières requises[12]. En entrevue, Françoise Rollin, présidente de l'OEQ, nous informe que des démarches ont été entreprises auprès de l'ACE pour discuter de diverses possibilités afin de rendre la *Revue canadienne d'ergothérapie* disponible aux ergothérapeutes du Québec. Aucune entente ne peut toutefois être conclue, puisque leur revue est liée au statut de membre de leur association.

C'est alors que naît *Ergothérapie express*, une publication sous la forme d'un journal qui paraît six fois par année. Son objectif est d'informer les membres sur différents sujets. On y trouve diverses rubriques, entre autres le Mot de la directrice générale, les travaux de l'Ordre, des informations venant du gouvernement, des ressources, des nouvelles des membres, la liste des formations continues disponibles.

11. Rollin, F. (1992), Éditorial – Le mot de la présidente, *Le Transfert*, numéro spécial, août, 3.
12. Rollin, F. (2001), Éditorial – Vers les états généraux de l'ergothérapie, *Revue québécoise d'ergothérapie*, 10 (1), 4-8.

Congrès

La CPEQ organise son premier colloque, le 25 janvier 1975, à l'hôtel Le Reine Élizabeth de Montréal. Il y est question de la philosophie de l'ergothérapie, des nouvelles méthodes d'évaluation et de traitement, du rôle de l'ergothérapie dans la communauté, de la recherche et de la prévention. Étrange comme ces thèmes sont encore d'actualité près de 40 ans plus tard !

En juin 1979, une centaine d'ergothérapeutes de la CPEQ participent au premier congrès multiprofessionnel avec trois autres ordres professionnels : celui des diététistes, des orthophonistes-audiologistes et des physiothérapeutes. Ce congrès vise à favoriser des échanges interprofessionnels et une réflexion sur des problèmes communs en vue de mieux répondre aux besoins de la population.

À partir de 1977 et jusqu'en 2000, la CPEQ et, par la suite, l'OEQ, tient dix congrès provinciaux, dont un congrès conjoint avec l'ACE en 1983, à Montréal, mais aussi à Québec, à Sherbrooke, à Laval et à Trois-Rivières. Divers thèmes sont proposés à la réflexion des membres, par exemple : « L'ergothérapie en plein essor » (1977) ; « L'ergothérapeute, généraliste ou spécialiste ? » (1985) ; « L'activité, l'essence de l'équilibre » (1988) ; « Agir sur le changement » (1992) ; « L'ergothérapie de l'an 2000 : d'où vient-elle, où va-t-elle ? » (2000). Ces congrès sont l'occasion pour les uns de présenter leurs travaux, et pour les autres, de connaître les derniers développements dans la profession.

Au fil des ans, l'OEQ rapporte toutefois une diminution des participants. Ainsi, le congrès tenu en 2000 à Trois-Rivières n'attire qu'environ 250 ergothérapeutes. L'OEQ décide alors de cesser d'organiser de tels événements, évaluant que les coûts en temps et en argent sont trop élevés pour le nombre de participants.

À partir de l'automne 2011, une nouvelle formule est mise en place, à savoir la tenue d'un colloque annuel qui se veut un lieu de rencontre et d'échange pour les ergothérapeutes. L'OEQ juge que la formule d'un colloque d'une journée leur est plus accessible qu'un congrès de quelques jours et, de plus, elle permet de donner des unités de formation continue aux participants.

Congrès de la FME à Montréal

En 1998, le 12ᵉ congrès de la Fédération mondiale des ergothérapeutes (FME), sous l'égide de l'Association canadienne des ergothérapeutes (ACE), se tient pour une première fois au Québec, soit à Montréal. Les coprésidentes de ce congrès sont Francine Ferland et Huguette Picard. Il réunit 3 230 ergothérapeutes venus de 55 pays: un événement d'envergure qui démontre le savoir-faire des ergothérapeutes québécois.

Formation continue

La CPEQ met sur pied en 1979 un comité provisoire pour élaborer une politique biennale de la formation continue. Une des recommandations de ce comité est de faire connaître aux membres les programmes offerts par la Corporation, mais aussi par les universités, les hôpitaux et d'autres organismes. Dès lors, les activités de formation continue sont annoncées dans les diverses publications de l'organisme professionnel.

Selon un document interne de l'OEQ, de 1995 à 2011, 25 activités différentes de formation continue ont été offertes aux membres, rejoignant 7 752 participants. La formation sur la tenue de dossiers a réuni, à elle seule, 3 425 participants; d'avril 1995 à juin 2008, c'est Martine Brousseau qui assume la responsabilité de cette formation.

En juin 2003, l'OEQ adopte de nouvelles orientations en matière de formation continue qui prévoient, entre autres, la mise sur pied d'une programmation annuelle. De plus, il privilégie le portfolio comme outil de soutien à la pratique réflexive de ses membres. Chaque membre y collige annuellement les informations suivantes: le plan de formation continue annuel fait à partir d'une réflexion sur sa pratique, le bilan de ses réalisations, le résumé des changements apportés à sa pratique professionnelle et un dernier élément qui, lui, est facultatif, soit la collecte de documents personnels qui témoignent de l'ensemble des compétences distinctives du membre.

Un effort important est fait pour faciliter l'accès à la formation continue pour les ergothérapeutes exerçant en dehors des grands centres urbains, par exemple par l'organisation de formations sur demande, permettant de la sorte la tenue d'activités de formation en région. Par ailleurs, en avril 2006, l'OEQ obtient l'accréditation de la Société de formation et d'éducation continue (SOFEDUC); il peut dès lors émettre des unités d'éducation continue.

Semaine de l'ergothérapie

Lors de la plénière du IVe congrès de la CPEQ, Isa Levine, ergothérapeute, suggère la tenue d'une «semaine de l'ergothérapie», dont la première se tient du 27 au 31 octobre 1987 sous le thème de *L'ergothérapie – Si le quotidien devient un défi*. L'année suivante, l'ACE se joint aux ergothérapeutes québécois, et cette semaine devient la «semaine nationale de l'ergothérapie». Chaque année, un comité de la semaine de l'ergothérapie en choisit le thème, par exemple «Agir sur le changement», «L'esprit et le corps au service de la santé», «Simplifier son quotidien pour une meilleure qualité de vie», «L'ergothérapeute – un partenaire pour mieux vivre le quotidien», et développe des outils pour favoriser la visibilité de la profession. Une année, le comité pousse l'originalité jusqu'à proposer des napperons présentant l'ergothérapie aux clients des restaurants Giorgio.

En 2004, cette semaine qui se tient toujours la dernière semaine du mois d'octobre est remplacée par le «Mois de l'ergothérapie», permettant aux ergothérapeutes d'avoir une plus grande visibilité. À partir de cette date, c'est l'ACE qui détermine les thèmes et offre aux ergothérapeutes des ressources pour cet événement qui a lieu en octobre.

Il est intéressant de noter que déjà, en février 1934, Jeanne Crevecœur, qui avait été présidente de la QSOT, proposait la tenue d'une semaine de l'ergothérapie, appuyée par une campagne dans les journaux. Même s'il est impossible de savoir si ou quand cette semaine s'est tenue, on peut lire dans le procès-verbal de la réunion du 6 avril 1934 que le *Star*, journal anglophone de Montréal, promettait une pleine page pour promouvoir l'ergothérapie.

Relations avec les médias

Déjà, en 1938, un comité de publicité est mis en place par la QSOT. Au cours des années 1950-1960, on trouve des articles sur la profession dans la presse écrite. Voici quelques titres:

- Inauguration d'une école de physiothérapie (*occupational therapy*), *Le Petit Journal*, décembre 1954;
- Carrière féminine de qualité, *La Presse*, 28 juillet 1955;
- La physiothérapie et l'occupation thérapie, *La Presse*, juin 1959;

- La physio et occupation thérapie : voie inaccessible au sexe masculin, *La Presse*, 29 août 1959 ;
- Thérapie occupationnelle, *Quartier Latin*, 13 novembre 1962 ;
- L'ergothérapie, c'est quoi ?, *La Presse*, 1ᵉʳ novembre 1969.

Pour faire connaître l'ergothérapie au grand public, la SEQ met sur pied un nouveau comité de publicité. Celui-ci prépare des trousses d'information sur la profession, en français et en anglais. Il envoie des communiqués de presse et répond aux demandes des médias. En 1968-1969, le comité fait connaître la profession dans les écoles secondaires.

En 1979, un premier dépliant est produit pour décrire la profession et il est acheminé à tous ceux qui en font la demande. Au cours des ans, la CPEQ produit des feuillets expliquant l'ergothérapie et divers autres dépliants, dont *Simplifier son quotidien pour une meilleure qualité de vie ; Ergothérapie – Adrien, Vanessa, Philippe et Marie-Ève : L'ergothérapeute les aide à développer leurs capacités ; L'ergothérapeute et l'adaptation du domicile ; L'ergothérapie – une profession à découvrir.*

En 1988, la CPEQ nomme une responsable des relations avec les médias : cette personne bénévole a pour tâche de répondre aux demandes des journalistes ou autres professionnels des médias. La tenue de la semaine de l'ergothérapie est un élément déclencheur pour susciter l'intérêt des journalistes de la presse écrite et des recherchistes d'émissions de télévision à l'égard de la profession, et cet intérêt se maintient pendant quelques années, à chaque nouvelle semaine de l'ergothérapie. C'est alors l'occasion de préciser qui sont les ergothérapeutes et ce qu'ils peuvent offrir comme services à la population.

À la suite de la première semaine de l'ergothérapie en 1987, la CPEQ est invitée par Radio Centre-ville à présenter 12 émissions d'une demi-heure chacune pour faire connaître les diverses compétences de l'ergothérapie à la population. Un comité *ad hoc* est alors formé pour déterminer les divers thèmes qui seront abordés et les ergothérapeutes qui seront invités. Parmi les thèmes retenus : la sécurité à domicile pour les personnes en perte d'autonomie ; les ressources communautaires pour les personnes arthritiques ; la désinstitutionalisation ; les enfants présentant une déficience physique.

Par ailleurs, dans une perspective de visibilité et afin de faire connaître son apport à la santé de la population, la CPEQ et, par la suite, l'OEQ participent à plusieurs salons en tenant un stand d'information. Voici quelques-uns de ces salons et les thèmes retenus par les ergothérapeutes : Salon de la femme, « La femme handicapée et les barrières architecturales » (1970) ; Salon Bien-être, « De l'enfance au troisième âge » (1983) ; Info-Carrières, 39 choix (1984) ; Salon de l'Univers de l'enfant (1986) ; Salon de l'Enfant-roi (1987 ; 1988) ; Salon de la Super Enfant fête (1989) ; 5ᵉ Salon international – Le monde des affaires, « Le bilan occupationnel : un outil de gestion » (1989) ; Salon national de l'habitation (1998) où l'OEQ, en collaboration avec la SAAQ, présente un appartement adapté.

En 1992, grâce à une subvention du ministère de la Science et de la Technologie, la CPEQ réalise un document sur la sclérose en plaques et l'ergothérapie, *Après le diagnostic... la vie*, en collaboration avec l'Association canadienne de sclérose en plaques pour l'émission *Comment ça va ?*, à la télévision de Radio-Canada.

Un diaporama de 15 minutes est aussi réalisé en 1992 par la CPEQ. Il s'intitule : *Profession : Ergothérapie*. En 1999, le réseau Parents d'aujourd'hui qui regroupe une émission de télévision, une émission radiophonique quotidienne de cinq minutes et un site Web demande la collaboration de l'OEQ pour produire des chroniques sur le jeu. Un comité *ad hoc* est alors formé et 12 chroniques sont préparées pour leur site Web. Également, l'OEQ participe à l'émission de télévision du réseau à quatre reprises et prépare quelques chroniques pour ses émissions de radio. Le 20 novembre 1999, pour souligner la Journée internationale de l'enfant, Santé Canada et Parents d'aujourd'hui unissent leurs efforts pour mettre en ligne un *Webjam*, offrant aux parents 24 heures de conférences en direct. L'OEQ y est représenté par Francine Ferland dont la conférence s'intitule « L'ergothérapie au service des parents ». Ce site s'appelle maintenant Familles d'aujourd'hui, et Geneviève Bélanger, ergothérapeute au Centre de protection et de réadaptation de la Côte-Nord, y participe en tant qu'experte, en plus de collaborer au magazine *Mon bébé*.

Remises de prix

À compter des années 1980, la Corporation honore ses membres par divers prix. Le prix Mérite récompense des ergothérapeutes pour avoir mis sur pied un projet innovateur au cours de l'année : il est décerné de 1981 à 1989. Comme l'organisme professionnel compte beaucoup sur le bénévolat, un prix est également décerné au bénévole de l'année. Le nom de Nicole

Ébacher est ensuite donné à ce prix, afin de rendre hommage à cette ergothérapeute, aujourd'hui décédée, qui a été une pionnière du programme de l'Université Laval et qui a généreusement participé aux travaux de la CPEQ pendant plusieurs années.

L'organisme assume son devoir de mémoire envers ses pionnières avec d'autres prix. Ainsi, le prix Ginette-Théorêt est remis au clinicien qui s'est illustré dans son travail. Ginette Théorêt a travaillé plus de 25 ans auprès de la clientèle infantile dans la région de Montréal. Comme l'organisme valorise également la recherche, il offre une bourse d'études, qui devient la bourse de recherche Anne-Lang-Étienne en 1992, du nom d'une grande ergothérapeute dont il sera question dans le chapitre 2. À partir de 2004, une bourse sera décernée pour un projet de maîtrise, et une autre, pour un projet de doctorat. Les étudiants au baccalauréat en ergothérapie sont eux aussi récompensés pour leurs performances en stage par le prix Jeannette-Hutchison, une ergothérapeute qui a profondément influencé la pratique de l'ergothérapie, entre autres à l'Institut de réadaptation de Montréal; en 1998, ce prix devient le prix de l'Ordre des ergothérapeutes du Québec.

Quant à la mention d'excellence, elle souligne la contribution exceptionnelle d'un ergothérapeute à l'évolution de la profession. Les lauréats ayant mérité cet honneur au cours des ans sont: Andrée Forget (1986), Anne Lang-Étienne (1987), Élisabeth Dutil (1988), Louise Gauthier (1989), Renée O'Dwyer (1992), Jean-Guy Jobin (1994), Nicole Paré-Fabris (1996), Ginette Biron (1998), Micheline Saint-Jean (2000), Julie Hamilton (2002), Anne Monat (2004), Johanne Desrosiers (2005), Erika Gisel (2007), Susan Vincelli (2008), Suzanne Rouleau (2009) et Marie-France Jobin (2010).

États généraux sur la profession

En 2003 et 2004, l'OEQ tient pour la première fois des états généraux sur la profession, dont le thème est «L'ergothérapie, une profession à ancrer dans l'avenir». L'objectif est d'entendre l'opinion des ergothérapeutes sur leur profession et plus spécifiquement sur quatre thèmes: 1) l'évolution de l'ergothérapie, sa reconnaissance et sa valorisation; 2) la formation initiale et continue des ergothérapeutes; 3) l'exercice de la profession; et 4) la recherche en ergothérapie.

Cette démarche sans précédent dans la profession se fait en trois phases: la tenue de 10 forums régionaux auxquels assistent 545 ergothérapeutes et

18 étudiants ; l'appel de mémoires auquel huit organismes ou groupes d'ergothérapeutes répondent ; et la tenue d'assises nationales de deux jours qui rejoignent 108 personnes.

Le document synthèse sur les états généraux, publié en août 2004, présente une vue d'ensemble des recommandations faites par les ergothérapeutes. Parmi celles-ci, mentionnons l'importance de mettre davantage d'efforts sur la connaissance et la reconnaissance de l'ergothérapie encore une fois, de rehausser la formation du baccalauréat à la maîtrise professionnelle, et de promouvoir la diffusion des travaux de recherche menés par des ergothérapeutes à l'ensemble des cliniciens pour qu'ils puissent les intégrer à leur pratique courante, contribuant ainsi à une meilleure identité professionnelle, à un plus grand sentiment de compétence, de même qu'à une pratique de plus en plus centrée sur des données probantes.

L'ergothérapie, une des 25 plus belles professions du Québec

Une étude réalisée par Jobboom et publiée dans l'édition du 1er mars 2008 du *Journal de Montréal* nous apprend que l'ergothérapie se classe au 21e rang des 25 plus belles professions au Québec. Ce classement s'appuie entre autres sur le salaire, l'autonomie professionnelle, les possibilités de développement professionnel, les perspectives d'emploi, la participation aux décisions.

Cette étude ne vient que confirmer ce que l'on sait depuis longtemps, qu'il s'agit d'une belle profession. D'ailleurs, comme on vient de le voir, l'organisme professionnel y a largement contribué, en agissant dans le système de santé et de l'éducation en tant que partenaire actif et visionnaire.

2

La formation en ergothérapie

L'être humain se révèle au monde et à lui-même par ses activités.
C'est à travers ses activités qu'il se fait confiance, se sent utile, subvient
à ses besoins, tient des rôles, rejoint ses intérêts et ses idéaux,
développe son sentiment d'appartenance. C'est à travers
ses activités qu'il crée, se lance des défis, croît, change, évolue.

ANNE ÉTIENNE

Le premier programme de formation en *occupational therapy* au Canada est implanté à Toronto en 1926. Il faut attendre jusqu'en 1950 pour qu'un même programme soit offert au Québec.

C'est en 1950 que l'Université McGill ajoute un programme d'« occupation thérapie » à celui de physiothérapie, qui avait été créé en 1943. Il s'agit du premier programme au Canada à être donné dans une faculté de médecine. Le directeur en est le Dr Guy Fisk.

Ce cours combiné de trois ans mène à un diplôme en Physical and Occupational Therapy. C'est à ce moment que le département prend le nom de School of Physical and Occupational Therapy. En 1954, le programme offre le premier B. Sc. en Physical and Occupational therapy au Canada, une autre première pour l'Université McGill. Enfin, en 1965, la School of Physical and Occupational Therapy offre deux programmes séparés, dont l'un mène à un baccalauréat en ergothérapie et, en 1971, c'est un baccalauréat ès sciences (ergothérapie) qu'obtiennent les étudiants.

À ses débuts, le département est situé au 1266, avenue des Pins Ouest. À compter de 1956, la School of Physical and Occupational Therapy occupe les locaux de la Davis House, sis au 3654, rue Drummond, et au début des années 1970, l'école poursuit son expansion à la Hosmer House, au 3630, rue Drummond. Ces maisons centenaires aux magnifiques boiseries et parquets de bois n'ont rien en commun avec les habituels locaux universitaires. Le programme d'ergothérapie y est encore donné aujourd'hui.

En 1954, à la suite de nombreuses démarches du Dr Gustave Gingras, l'Université de Montréal met sur pied l'École de physiothérapie et d'«occupation thérapie» qui dispense un cours combiné de trois ans, menant à l'obtention d'un diplôme en physiothérapie et en «occupation thérapie». À la fin de ses trois années d'études, l'étudiant choisit de travailler dans l'une ou l'autre de ces professions. C'est le premier programme d'ergothérapie dans le monde francophone: les écoles françaises d'ergothérapie à Nancy et à Paris ouvriront leurs portes quelques mois plus tard.

En 1956, avec l'ajout du programme d'orthophonie et audiologie, l'école change de nom et devient l'École de réhabilitation de l'Université de Montréal. À partir de 1962, la formation en «occupation thérapie» et en physiothérapie est scindée en deux programmes distincts de deux ans chacun; les étudiants reçoivent un diplôme en «occupation thérapie». En 1966, le programme est à nouveau modifié tant dans son contenu que dans sa durée: dorénavant, une formation de trois ans mène à l'obtention d'un baccalauréat ès sciences, spécialisé en ergothérapie. En 1971, le nom du département change à nouveau et devient l'École de réadaptation[1].

Au tout début, l'École de réhabilitation de l'Université de Montréal est logée au 2900, boulevard Mont-Royal, puis à l'immeuble principal. En 1964, elle déménage dans une ancienne usine désaffectée située au 1260-1290, rue Jean-Talon. Cet édifice est à même de démontrer en quoi consistent des barrières architecturales avec ses escaliers étroits et ses locaux exigus. En 1974, l'École de réadaptation déménage au pavillon Marguerite-d'Youville: elle y restera jusqu'en 2007. À cette date, compte tenu de l'augmentation du nombre d'étudiants et des nouveaux programmes offerts, cet espace ne suffit plus. Un nouveau déménagement se fait vers le 7077, avenue du Parc dans le quartier multiculturel de Parc-Extension.

1. Hudon, F. (2004), *Histoire de l'École de réadaptation de l'Université de Montréal, 1954-2004*, Montréal, à compte d'auteur.

À l'Université Laval, le programme d'ergothérapie est mis sur pied en 1968 et mène à l'obtention d'un diplôme en ergothérapie. En 1970, le programme accueille ses premiers étudiants au baccalauréat en sciences de la santé (ergothérapie). Le premier directeur de l'École de réhabilitation de l'Université Laval est le Dr Rosaire Gingras.

L'Université Laval donne d'abord le programme d'ergothérapie au sous-sol de l'Hôpital Laval, puis au deuxième sous-sol du pavillon de l'Éducation physique et des Sports (PEPS) en 1972, au pavillon de l'Est en 1980, au pavillon Paul-Comtois en 1985. Les bureaux des professeurs sont situés dans ce pavillon mais les laboratoires, d'abord dans le pavillon Agathe-Lacerte, se retrouvent dans des annexes de type roulotte, comme les décrit Louis Trudel :

> Ces locaux, communément appelés les *baraques*, étaient vastes et fort utiles mais difficiles à chauffer en hiver et surchauffés en été. Le dessous des baraques servait aussi de résidences à des familles de marmottes qui agrémentaient de leur présence les lunchs du midi pris à l'extérieur durant l'été.

L'atelier d'orthèses se trouve alors dans la salle des machines du pavillon Paul-Comtois. En 1990, le programme se donne, cette fois, au pavillon Ferdinand-Vandry. Les baraques sont démolies en 1996 et les laboratoires sont déménagés au 2ᵉ étage de l'aile centrale du pavillon Ferdinand-Vandry qui est nommée aile Nicole-Ébacher, en mémoire de cette collègue décédée en 1997. Nicole Ébacher avait créé un laboratoire d'auto-apprentissage au cours des dernières années de sa carrière universitaire ; ce laboratoire est toujours en fonction. Ces dernières années, le pavillon Ferdinand-Vandry a été agrandi puis entièrement rénové pour créer un complexe intégré des sciences de la santé (facultés de médecine, des sciences infirmières et de pharmacie).

La formation en ergothérapie au Québec a donc commencé dans ces trois universités. Au cours des dernières années, pour répondre à une pénurie persistante d'ergothérapeutes, le ministère de l'Éducation a donné son aval à la création de deux nouveaux programmes en ergothérapie, soit celui de l'Université de Sherbrooke implanté en 2007 et celui l'Université du Québec à Trois-Rivières (UQTR), en 2008. À l'Université de Sherbrooke, c'est Réjean Hébert, doyen de la Faculté de médecine, qui instaure un programme de réadaptation ; il mandate Louisette Mercier et Johanne Desrosiers pour la mise sur pied du programme d'ergothérapie dans un nouveau pavillon annexé au Centre hospitalier de l'Université de Sherbrooke.

Quant au programme de l'UQTR, une première étude de faisabilité et d'opportunité pour le développement d'une telle école a été présentée par Raymonde Boislard dans le cadre de sa maîtrise à l'École nationale d'administration publique en 1989. Quelques années plus tard, on demande à Micheline Saint-Jean et Huguette Picard d'élaborer un programme de cours. Au début des années 2000, l'université réactive ce dossier ; Martine Brousseau et une équipe de cliniciens conçoivent le cursus de formation définitif. Pour l'implantation de ce programme dans des locaux du pavillon de la Santé, Huguette Picard agit à titre de consultante à compter de 2007.

Par ailleurs, des ergothérapeutes québécois contribuent à la création d'un autre programme de formation, cette fois en Ontario. En 1985, Anne Lang-Étienne met sur pied le programme d'ergothérapie de l'Université d'Ottawa. Grâce à une subvention du Conseil d'éducation franco-ontarien, ce programme vise à répondre aux besoins en formation et en santé de la communauté francophone de l'Ontario. Avant même son ouverture, des professeurs de l'Université de Montréal sont invités à commenter les descriptifs de cours et l'orientation du programme. La première équipe de professeurs qui accompagnent Anne Lang-Étienne dans cette aventure vient du Québec. Il s'agit de Claire-Jehanne Dubouloz, Julie Gosselin, Anne Carswell, Constance Vanier, Ellen Weisenfeld et Marie-José Durand. Encore aujourd'hui, sur les huit professeurs du programme, cinq ont fait leurs études dans l'un des trois premiers programmes de formation au Québec. Précisons qu'il s'agit là du seul programme canadien de formation francophone en ergothérapie à l'extérieur du Québec.

Les premiers professeurs

Les premiers professeurs d'ergothérapie au Québec viennent du Canada anglais, d'Angleterre, de Nouvelle-Zélande et d'Irlande. À l'Université McGill, Naomi Duncan, d'Angleterre, est la première directrice du programme d'ergothérapie.

À l'Université de Montréal, en 1954, la seule professeure à temps plein au programme d'ergothérapie est Josephine Forbes, originaire de Londres et diplômée de l'Université de Toronto. Des professeurs de cette université viennent lui prêter main-forte. En 1956, à l'invitation du Dr Gingras, Gisèle Bergeron, diplômée de la Boston School of Occupational Therapy, entre en fonction et devient la première professeure francophone en ergothérapie au Canada. Elle y enseignera jusqu'en 1960. Les autres professeures sont alors Nancy Milne et Sue Cross, toutes deux d'Angleterre. Cette dernière remplace Josephine Forbes à la direction du programme en 1962. Cette même année, Andrée Forget entre en fonction à titre de professeure.

À l'Université Laval, c'est à Diane Bélanger, ergothérapeute à l'Hôpital Laval de Québec, que le physiatre Denis Jobin demande en 1968 de jeter les bases du programme d'ergothérapie. Diane Bélanger se fait superviser par Andrée Forget, de l'Université de Montréal.

Le recrutement de professeurs soulève toutefois des problèmes comme en témoigne un document présenté au Conseil de l'Université Laval en 1976 : on y demande de négocier l'emprunt d'un professeur chevronné de l'Université de Montréal pour un mandat de deux ans, demande justifiée par le petit nombre de personnes en poste - soit Louis Trudel, Jean-Guy Jobin et Nicole Ébacher - et par la difficulté de recruter des professeurs[2].

Le Dr Gustave Gingras souligne aussi ce problème de recrutement dans son livre *Combats pour la survie* :

> Je reçus une demande de l'Université Laval de Québec qui désirait fonder une école de réadaptation. J'utilisai la même formule qui avait rendu possible la création de l'école de l'Université de Montréal par l'Université de Toronto. Pendant plusieurs années, nos professeurs se rendirent régulièrement à Québec jusqu'à ce que la nouvelle école puisse voler de ses propres ailes. (p. 159)

Dans les premières années, les étudiants sont très peu nombreux et il y a risque que l'Université Laval ferme le programme. Le doyen de la Faculté de médecine demande alors à Françoise Poirier, ergothérapeute en poste à l'Hôpital juif de Laval, de venir redresser la situation. Elle propose un plan quinquennal pour insérer l'École de réhabilitation au sein de l'université[3].

---

2. École de réadaptation, *Premier rapport d'étape d'un plan de développement quinquennal*, présenté au Conseil de l'Université Laval, 13 avril 1976.
3. École de réadaptation, *Plan quinquennal de développement de l'enseignement et de la recherche*, présenté au Conseil de l'Université Laval, 31 mars 1978.

Leur statut

Au début, les quelques ergothérapeutes qui participent à la formation sont des chargées de cours. Julien Prud'homme, auteur d'un livre sur l'histoire des professions paramédicales au Québec[4], précise lors d'une entrevue :

> On ne voulait pas donner aux quelques enseignantes ergothérapeutes le titre de chargées d'enseignement parce que c'était des femmes. Les médecins avaient ce titre et on ne pouvait pas donner le même titre aux médecins qu'aux femmes. Pendant un moment, on a même pensé les appeler des institutrices.

Les médecins, qui ont ouvert l'École de réhabilitation dans les années 1950, s'étaient mis d'accord pour que seules des femmes soient embauchées pour enseigner l'ergothérapie, compte tenu de la pauvre rémunération qui leur était accordée. Voici ce que Julien Prud'homme en dit : « Selon leurs propres mots, cela aurait été faire fausse représentation que d'ouvrir la profession aux hommes, si elle n'était pas rémunératrice. »

Le féminisme n'avait pas encore vu le jour mais avec ce genre de commentaires, on peut comprendre que ce mouvement soit apparu quelques années plus tard.

Leur perfectionnement

Jusque dans les années 1970, les professeurs en ergothérapie ne détiennent qu'un diplôme pour enseigner. Comme il leur faut maintenant détenir un baccalauréat ès sciences, ils doivent retourner aux études. Un programme de recyclage de 22 crédits est mis au point à l'Université de Montréal en 1970 pour tous les anciens diplômés, y compris les professeurs de l'époque. Les étudiants sont fort étonnés de retrouver dans leur classe certains de leurs professeurs. Cet important dossier de recyclage est piloté, entre autres, par Micheline Marazzani. Les professeurs de l'Université Laval s'inscrivent également dans des études menant à l'obtention d'un diplôme de premier cycle dans le programme même dont ils sont les enseignants en titre.

Puis, pour répondre aux critères universitaires, les professeurs doivent faire des études supérieures. Pendant que certains poursuivent leurs études, les autres professeurs en place doivent assumer la formation des

---

4. Prud'homme, J. (2011), *Professions à part entière. Histoire des ergothérapeutes, orthophonistes, physiothérapeutes, psychologues et travailleuses sociales au Québec*, Montréal, Les Presses de l'Université de Montréal.

étudiants. À compter des années 1980, on requiert le doctorat pour les nouveaux professeurs embauchés. Aujourd'hui, tous les professeurs de carrière en ergothérapie détiennent un doctorat et la plupart ont fait un postdoctorat.

Outre ce perfectionnement formel, les professeurs doivent également s'habituer aux nouvelles technologies. Jusque dans les années 1980, des appariteurs sont disponibles dans les classes pour projeter les films super 8 ou les diapositives, et les secrétaires dactylographient les notes de cours des professeurs. Mais dans les années 1980 et surtout 1990, les films super 8 sont remplacés par des cassettes VHS, puis par des DVD, et les appariteurs ne sont plus disponibles pour les professeurs : ces derniers doivent apprendre à manier seuls le magnétoscope, puis l'ordinateur. Ils doivent apprendre aussi de nouveaux logiciels tels que PowerPoint pour faire des présentations plus dynamiques. Avec l'arrivée de l'informatique, il est attendu de chaque professeur qu'il prépare lui-même ses notes de cours et ses références à l'aide de traitements de texte.

Des pionniers qui ont marqué la formation en ergothérapie

Le Dr Gustave Gingras, physiatre, est le père de la réadaptation au Québec. Il se considérait lui-même comme le *commis voyageur* de la réadaptation au Québec, au Canada, aux États-Unis et en Europe. Après avoir fondé l'Institut de réhabilitation de Montréal en 1949, il ne ménage aucun effort pour mettre sur pied l'École de physiothérapie et de thérapie occupationnelle, qui devient en 1956 l'École de réhabilitation de l'Université de Montréal. Il assume la direction de ce département jusqu'en 1976. Au cours des ans, il est chargé de missions internationales : au Venezuela, en 1953, pour créer le premier centre de réadaptation pour les accidentés de travail ; au Maroc, en 1959, pour venir en aide à quelque dix mille Marocains atteints de paralysie en l'espace de quelques mois ; et au Vietnam du Sud, en 1965, pour étudier la possibilité de créer un centre de réadaptation pour enfants à Saigon. En 1960, il est nommé membre honoraire de la Croix-Rouge canadienne. Il est président de l'Ordre des médecins de 1966 à 1972, puis de l'Association médicale canadienne[5].

---

5. Le lecteur intéressé à connaître la vie et les réalisations du Dr Gingras est invité à lire *Combats pour la survie,* Paris, Éditions Robert Laffont, 1975.

Andrée Forget est la première diplômée (1958) au Québec à être embauchée comme professeure. Elle entre en poste à l'Université de Montréal en 1962 et y devient successivement responsable de la section d'ergothérapie, directrice de l'École de réadaptation et secrétaire de la Faculté de médecine. Andrée Forget a été présidente de la Fédération mondiale des ergothérapeutes de 1980 à 1986. Dans les années 1950 et 1960, elle a également fait de l'aide humanitaire avec le Dr Gingras, entre autres au Maroc et au Vietnam. De 1990 à 1998, elle est membre du conseil d'administration, du comité de gestion et du comité d'éducation du Centre international pour l'avancement de la réadaptation à base communautaire (RBC). Elle a été la première lauréate du Prix d'excellence de la Corporation professionnelle des ergothérapeutes du Québec. Elle représente assurément une figure marquante dans la profession. En 1987, elle reçoit un doctorat *honoris causa* de l'Université Queen's. Elle a mérité de nombreux prix, dont la médaille du 25e anniversaire de l'accession au trône d'Élisabeth II décernée par le gouverneur général du Canada. Elle est aussi la première ergothérapeute québécoise à recevoir le prix Muriel Driver de l'Association canadienne des ergothérapeutes en 1983. Elle a également été nommée fondateur honoraire de la Fondation canadienne d'ergothérapie et *honorary fellow* de la Fédération mondiale. Enfin, elle fut le premier professeur de l'École de réadaptation de l'Université de Montréal à être nommée professeure émérite en 1997.

Anne Lang-Étienne, d'origine française, détentrice d'un diplôme en ergothérapie (1967) et d'un diplôme de spécialisation en psychiatrie (1968), commence sa carrière en France et la poursuit à l'Hôpital Louis-Hippolyte Lafontaine à Montréal (1969-1971). Par la suite, elle ouvre le département d'ergothérapie en psychiatrie à l'Hôpital d'Ottawa (1972-1973) et à l'Hôpital Montfort (1974-1977). Elle aborde l'enseignement universitaire en 1977 à l'Université Laval: elle y sera professeure pendant six ans. Elle complète alors une maîtrise en psychologie. Par la suite, elle s'oriente vers la pratique privée, offrant, entre autres, des groupes de formation et de croissance. En 1986, elle met sur pied le programme d'ergothérapie à l'Université d'Ottawa où elle enseigne jusqu'à son décès, le 28 octobre 1991. Tous les ergothérapeutes qui ont côtoyé Anne Lang-Étienne se rappellent les deux pôles principaux de ses travaux: le processus de l'activité vu sous l'angle phénoménologique et la pédagogie basée sur le modèle expérientiel. Ceux qui n'ont pas eu la chance de la connaître comme professeure ont pu bénéficier de sa philosophie empreinte d'humanisme dans sa chronique « L'ergothérapie et nous » qu'elle a publiée dans *Le Transfert* dans les années 1980. Pour lui rendre hommage, la Corporation professionnelle des ergothérapeutes du Québec (CPEQ) décide en 1992 de donner son nom à la bourse de recherche qui devient la « Bourse de recherche Anne-Lang-Étienne ».

Joyce Field obtient son diplôme en ergothérapie en 1942 à l'Université de Toronto. Elle met sur pied deux départements d'ergothérapie en Ontario et assume successivement la direction de trois départements d'ergothérapie également en Ontario, à Hamilton, Toronto et Gravenhurst, et d'un autre, aux États-Unis, à Cleveland. Puis, en 1960, elle déménage au Québec. Elle est alors chargée de cours pendant deux ans à l'École de réhabilitation de l'Université de Montréal. En 1962, elle commence sa carrière à l'Université McGill. Elle assume la coordination du programme d'ergothérapie de 1962 à 1979. Elle développe le programme menant à un baccalauréat en ergothérapie en 1964 et celui menant à un baccalauréat ès sciences en ergothérapie en 1970. Pendant toutes ces années, en plus de ses tâches administratives et professorales, Joyce Field s'implique dans les associations professionnelles, faisant partie du bureau de direction de l'Association canadienne des ergothérapeutes (ACE), et de plusieurs comités de cet organisme. Elle a également été membre du conseil de la Quebec Society of Occupational Therapists (QSOT) et, à ce titre, elle est cosignataire du mémoire présenté en 1972 pour faire reconnaître l'ergothérapie dans le projet de loi 250. Joyce Field prend sa retraite en 1986. Ses anciens étudiants se rappellent encore les valeurs qu'elle véhiculait : entre autres, l'éthique et les attitudes professionnelles, le respect tant des individus, des patients, des collègues que des superviseurs.

Par ailleurs, dans chacune des universités, au cours des années, plusieurs professeurs ont assumé la direction des programmes de formation, la plupart du temps sans prime additionnelle et tout en continuant leur enseignement, leur encadrement d'étudiants aux cycles supérieurs et leur recherche.

Martine Brousseau est directrice du programme d'ergothérapie à l'Université du Québec à Trois-Rivières depuis l'ouverture du programme et Louisette Mercier occupe le même poste à l'Université de Sherbrooke.

TABLEAU 1

Les directeurs des programmes
d'«occupation thérapie» puis d'ergothérapie

Université de Montréal	Université McGill	Université Laval
Josephine Forbes (1954-1962)	Naomi Ducan (1950-1962)	J. G. Jobin (1972-1979)
Sue Cross (1962-1965)	Joyce Field (1962-1979)	Nicole Ébacher (1979-1980)
Andrée Forget (1965-1970; 1973-1978)	Anne Opzoomer (1979-1980)	Louis Trudel (1980-1988; 1989-1990; 1998-2004; 2009-2010 intérim)
Colette Dion-Hubert (1978-1982; 1990-1991)	Beverley Stacy (1980-1981)	Sylvie Tétreault (1988-1989; 1992-1995)
Micheline Marazzani (1971-1972; 1984-1986; 1987-1988; 1993-1997)	Louise Gauthier (1981-1984; 1988-1990; 1991-1995)	Monique Carrière (1990-1992)
Micheline Saint-Jean (1982-1984; 1986-1987; 1997-2001)	Patricia Lynne Weiss (1984-1986)	Sylvie Lemelin (1995-1998)
Francine Ferland (1988-1990; 1991-1993; 2001-2002)	Erika Gisel (1986-1988)	Line Robichaud (2004-2010)
Élisabeth Dutil (2002-2007)	Loredana Campanile (1995-1996)	Andrew Freeman (2010-)
Julie Gosselin (2007-2010)	Laurie Snider (1996-2001)	
Louise Demers (2010-)	Sandra Everitt (2001-2010)	
	Bernadette Nedelec (2010-)	

Direction de département

Plusieurs professeurs en ergothérapie ont assumé la direction non pas de leur programme mais de leur département. Ce fut le cas pour Françoise Poirier, Louis Trudel et Sylvie Tétreault à l'Université Laval; Andrée Forget, Daniel Bourbonnais, Rhoda Weiss-Lambrou (directrice intérimaire), Micheline Marazzani (directrice intérimaire) à l'Université de Montréal; Louise Gauthier (directrice intérimaire) et Annette Majnemer à l'Université McGill et Johanne Desrosiers à l'Université de Sherbrooke. Annette Majnemer est également vice-doyenne à la Faculté de médecine à l'Université McGill et Johanne Desrosiers est vice-doyenne à la réadaptation de la Faculté de médecine et des sciences de la santé à l'Université de Sherbrooke.

Les débats sur le niveau de formation

En 1961, un débat a lieu à la QSOT sur la pertinence de continuer à exiger des ergothérapeutes une formation universitaire.

Joyce Field, de l'Université de Toronto, arrivée au Québec en 1960, défend âprement l'importance d'une formation universitaire.

Toutefois, le maintien de cette formation dans les universités n'est pas gagné d'avance. En 1970, le collège Rosemont étudie la possibilité d'implanter une option paramédicale *ergothérapie* dans son institution. Cette même année, un mémoire préparé par Isabelle Denis et Andrée Forget de l'Université de Montréal et par Sandra Everitt et Beverlea Tallant (Roper) de l'Université McGill est présenté à la commission Bergeron[6]. On y recommande, entre autres, de maintenir les écoles d'ergothérapie dans les facultés de médecine et d'instaurer un programme de maîtrise en ergothérapie dans une des écoles existantes. Un comité *ad hoc*, réunissant la présidente de la Société des ergothérapeutes du Québec (SEQ), des représentants des universités et des cliniciens, prépare également un document en 1971, suivi d'un deuxième, en 1974. Dans la conclusion de ce dernier document, on peut lire :

> S'il est souhaitable et nécessaire de garder l'ergothérapie au premier cycle universitaire, il n'est pas impensable de prévoir en plus la formation de techniciens au niveau collégial et la création d'un programme de maîtrise dans une des universités québécoises.

Par ailleurs, en 1972, le ministère de l'Éducation, en collaboration avec le ministère des Affaires sociales, lance l'Opération Sciences de la Santé (OSS) qui vise à rationaliser l'enseignement supérieur. Le rapport déposé par les professeurs du programme d'ergothérapie de l'Université de Montréal au comité directeur de l'OSS fait quatre recommandations : 1) que les programmes d'ergothérapie de niveau universitaire soient maintenus et que le nombre total de diplômés soit porté de 75 à 100 par année dans un premier temps, puis à 120 dans un deuxième temps ; 2) qu'un programme de techniques ergothérapiques ne soit pas envisagé ; 3) que les universités favorisent le perfectionnement des professeurs en ergothérapie et des ergothérapeutes en général, dans le cadre d'une maîtrise en

---

6. Denis, I., Forget, A., Everitt, S. et Roper, B. (1970), *Mémoire soumis à la commission Bergeron par la Société des ergothérapeutes du Québec*, Archives de l'OEQ.

sciences de la santé (option ergothérapie) ; 4) que les stages pratiques soient améliorés et des moniteurs embauchés par l'université et l'établissement de santé par un contrat d'affiliation. Le rapport final de l'OSS déposé en 1976[7] retient la recommandation de créer une maîtrise générale en sciences de la santé.

En 1978, à la demande du ministère de l'Éducation, une firme est engagée par le ministère du Travail pour analyser la profession d'ergothérapeute et de moniteur en ergothérapie. Le résultat de cette analyse est soumis à la CPEQ qui y répond en démontrant que l'ergothérapie n'est pas une technique mais bien une profession rigoureuse qui repose sur des évaluations, une analyse des résultats et un plan d'intervention qui en découle.

C'est ainsi qu'il a été décidé que la formation devait être de niveau universitaire. Plusieurs années plus tard, un autre débat sur la formation a lieu, sur la nécessité ou non d'une formation post-baccalauréat pour les ergothérapeutes.

Baccalauréat ou maîtrise ?

Au début des années 2000, le besoin d'une formation de base post-baccalauréat est reconnu par toutes les instances de la profession : l'Ordre des ergothérapeutes du Québec (OEQ), les représentants des programmes universitaires et les ergothérapeutes eux-mêmes. Le développement important du corpus de connaissances, les responsabilités cliniques accrues et une pratique polyvalente sont quelques-uns des arguments qui justifient cette position. Ce débat amorcé au début des années 1990 par l'OEQ, tel que mentionné dans le chapitre précédent, va toutefois se poursuivre pendant plusieurs années.

En plus des démarches des représentants des programmes universitaires pour plaider en faveur d'une maîtrise professionnelle, un front commun se forme en 2005. Les représentants des programmes d'ergothérapie et de physiothérapie des universités McGill, Laval, de Montréal ainsi que des personnes impliquées dans la mise en place d'un autre programme

---

7. Ministère de l'Éducation en collaboration avec le ministère des Affaires sociales, *Planification sectorielle de l'enseignement supérieur : Opération Sciences de la Santé*, Gouvernement du Québec, avril 1976.

de formation à l'Université de Sherbrooke font front commun avec l'OEQ et l'Ordre professionnel de la physiothérapie du Québec (OPPQ) pour plaider auprès du ministère de l'Éducation en faveur de la maîtrise.

En 2007, l'Université McGill offre un Master of Sciences, applied in Occupational Therapy (M. Sc. A. O. T.) et deux voies y donnent accès. Les finissants du niveau collégial s'inscrivent à un baccalauréat en ergothérapie, suivi de la maîtrise professionnelle. Les détenteurs d'un baccalauréat d'une autre discipline peuvent suivre les cours de la troisième année de baccalauréat comme propédeutique puis sont admis à la maîtrise professionnelle en ergothérapie.

À l'Université de Montréal, en 2007, le programme de formation baccalauréat-maîtrise mène à un baccalauréat en sciences de la santé, puis à une maîtrise ès sciences (M. Sc.) en ergothérapie ; à l'Université de Sherbrooke, il mène à une maîtrise en ergothérapie (M. Erg.) ; à l'Université Laval, en 2008, il conduit à un baccalauréat et à une maîtrise en ergothérapie ; et à l'Université du Québec à Trois-Rivières (UQTR), à un baccalauréat en sciences de la santé (B. Sc.), suivi d'une maîtrise en ergothérapie (M. Sc.).

La structure organisationnelle

L'Association médicale canadienne a toujours recommandé que les programmes d'ergothérapie relèvent d'une faculté de médecine. Ce fut le cas pour la majorité des programmes qui, traditionnellement, ont formé avec les programmes de physiothérapie – et parfois celui d'orthophonie-audiologie – des écoles ou des départements de réadaptation.

Département au sein d'une faculté de médecine

Les programmes d'ergothérapie des universités McGill, de Montréal, et récemment de Sherbrooke, font depuis toujours partie des facultés de médecine. À Sherbrooke, lors de la création de l'École de réadaptation, le nom de la faculté est devenu la Faculté de médecine et des sciences de la santé.

Concernant cette appartenance à une faculté de médecine, on trouve toutefois deux exceptions dans l'histoire des programmes de formation au Québec, soit à l'Université Laval et à l'Université du Québec à Trois-

Rivières. Au moment de sa création, le programme de l'Université Laval relève de l'Extension à l'enseignement. Puis en 1975, l'université regroupe les programmes d'ergothérapie et de physiothérapie pour former l'École de réadaptation, rattachée à la Faculté de médecine. En 1985, nouveau changement de structure : l'ergothérapie devient un programme à la division de l'École des sciences infirmières. Ce rattachement qui se voulait temporaire se prolonge jusqu'en 1990. À cette date, le programme d'ergothérapie devient un département, rattaché à la Faculté de médecine. Puis en 1998, le programme d'ergothérapie et celui de physiothérapie – et ultérieurement celui d'orthophonie – forment le Département de réadaptation de la Faculté de médecine.

Quant au programme d'ergothérapie à l'Université du Québec à Trois-Rivières, il a aussi été rattaché à l'École des sciences infirmières pendant une année. Il relève dorénavant du vice-rectorat de premier cycle, lui conférant un lien direct avec la direction de l'Université, sans passer par une structure départementale ou facultaire. Une première au Canada !

Le mariage ergo-physio, un mariage de raison ?

Historiquement, le lien traditionnel ergothérapie-physiothérapie dans la formation relève de ce qu'on pourrait appeler un mariage de raison. En effet, compte tenu du nombre restreint d'admissions, il aurait été impossible de faire deux formations distinctes. Par ailleurs, comme ces formations sont développées par des physiatres, donc pour répondre à des besoins en santé physique, les deux professions partagent des cours et des objectifs communs. À cette époque, soit au début des années 1950, on accepte volontiers cet alignement sur la pensée médicale de même que le fait d'être au service des médecins, particulièrement en médecine physique. Toutefois, le besoin de formation distincte est apparu assez rapidement et, au fil des ans, force est de constater que bien que travaillant ensemble dans plusieurs milieux cliniques, comme avec d'autres partenaires professionnels d'ailleurs, les ergothérapeutes se retrouvent aussi dans des milieux sans service de physiothérapie, dont celui de la santé mentale. La formation en ergothérapie doit donc déborder la sphère physique et inclure un volet psycho-social.

Au fil des ans, compte tenu de la multiplication des cohortes étudiantes et des formations offertes, certains professeurs du programme d'ergothérapie se sont questionnés sur la pertinence de créer des départements autonomes, comme c'est le cas aux universités de British Columbia, Alberta, Toronto, Dalhousie et Western Ontario[8]. À l'Université de Montréal[9], plusieurs démarches en ce sens ont été entreprises, mais sans succès.

Agrément des programmes universitaires

Les programmes de formation en ergothérapie doivent être agréés par l'Association canadienne des ergothérapeutes (ACE) afin que les professionnels formés au Québec puissent travailler à travers le Canada. Chaque visite du comité d'agrément requiert beaucoup de travail. De nombreux documents doivent être préparés afin de permettre aux évaluateurs de s'assurer que chacun des critères exigés est respecté. À la fin de la visite, le comité fait des recommandations pour ce programme et accorde un agrément soit de cinq ans, si des modifications importantes doivent être apportées, soit un agrément complet de sept ans, si le programme répond à tous les critères.

À compter de septembre 1976, les programmes doivent offrir une formation de niveau baccalauréat pour être accrédités par l'ACE et, à partir de 2008, une maîtrise professionnelle en ergothérapie est exigée.

L'admission

Pendant plusieurs années, seules les femmes étaient admises en physiothérapie et en «occupation thérapie», tant à l'Université de Montréal qu'à l'Université McGill.

Pour filles seulement

Un article paru dans *La Presse* le 29 août 1959 mentionne cet état de fait et rapporte l'explication fournie par Josephine Forbes, alors directrice adjointe de la section «occupation thérapie» à l'Université de Montréal :

---

8. www.acotup-acpue.ca/French/members.html, consulté le 5 juillet 2011.
9. Dion-Hubert, C., Dutil, É., Ferland, F., Marazzani, M. et Saint-Jean, M. (2010), *Trente ans de gestion au programme d'ergothérapie,* Document présenté au Comité réadaptation, Université de Montréal, mars.

« La raison de ce choix, c'est que le cours et les conditions de vie qui accompagnent les études sont organisés spécialement pour les candidates. » En fait, pour les laboratoires en physiothérapie (rappelons qu'au départ il s'agissait d'une formation combinée), les étudiantes revêtent des shorts et elles doivent apprendre à masser, à faire des élongations... Pour une question de morale, les étudiantes ne peuvent faire ces gestes sur des collègues masculins !

Julien Prud'homme, auteur d'un livre sur l'histoire des professions paramédicales, publié aux Presses de l'Université de Montréal en 2011, propose une autre explication à cette situation. Au départ, les programmes de physiothérapie et d'« occupation thérapie » sont mis sur pied pour former des assistantes pour les physiatres. Une situation quelque peu comparable à celle des infirmières et des médecins. Comme le dit Prud'homme, le rôle des paramédicales est un « rôle d'auxiliaire, aux besoins théoriques limités et dont l'horizon s'arrête aux frontières de la médecine[10] ». Les jeunes femmes sont perçues comme plus dociles pour suivre les directives des médecins et moins menaçantes que les jeunes hommes !

Les candidats masculins ne seront donc admis qu'à partir de 1961 et c'est en 1964 que les deux premiers étudiants masculins sont diplômés : Gaston Poirier, de la dernière promotion du cours combiné à l'Université de Montréal, travaillera en physiothérapie, et Jean-Guy Jobin, de la première promotion du cours séparé d'ergothérapie à cette même université. Ce dernier est donc le premier ergothérapeute masculin du Québec.

Les premières cohortes étudiantes

La première promotion de l'Université de Montréal admise en 1954 dans le programme combiné compte 8 étudiantes, dont Jeannette Hutchison qui laissera sa marque dans la profession, entre autres à l'Institut de réadaptation de Montréal, et dont il sera question dans le chapitre suivant. En 1958, 20 étudiantes obtiennent leur diplôme combiné en physiothérapie et en « occupation thérapie », dont Andrée Forget. En 1959, c'est le cas de 17 étudiantes et, parmi celles-ci, Françoise Poirier, qui assumera, entre autres, des fonctions de direction de l'École de réadaptation de l'Université Laval.

10. Prud'homme, J. (2011). *Professions à part entière, op. cit.*, p. 24.

À l'Université Laval, Nicole Ébacher fait partie de la première cohorte de finissantes en 1971, et en 1974, Louis Trudel est le premier diplômé masculin en ergothérapie de cette institution. Tous deux participeront pendant de nombreuses années à la formation des étudiants à l'Université Laval. Rachel Thibeault, aussi diplômée de l'Université Laval, en 1979, deviendra professeure dans cette institution puis à l'Université d'Ottawa. Elle consacrera temps et énergie à la réadaptation à base communautaire (RBC) dans divers pays en voie de développement. On peut sans conteste l'identifier comme l'experte nationale en RBC.

Les étudiants internationaux

À compter des années 1980, tant le programme de formation de l'Université de Montréal que celui de l'Université Laval accueillent des étudiants ayant un diplôme de pays européens ou sud-américains pour leur permettre d'obtenir un baccalauréat en ergothérapie. Chaque dossier est alors étudié et un programme d'études personnalisées d'environ une année est proposé aux candidats. À titre d'exemple, entre 1995 et 2005, 52 de ces ergothérapeutes venant de France et de Belgique se sont inscrits à l'Université de Montréal. Voici un témoignage de Florence Jeay[11], ergothérapeute française, qui a étudié à l'Université de Montréal au début des années 1990 :

> Quand je suis rentrée en France, je n'avais pas l'impression d'avoir changé, mais les ergothérapeutes et les médecins avec lesquels je travaillais m'ont dit que je n'étais pas une ergothérapeute standard. Je ne comprenais pas ce qu'ils voulaient dire ; en fait, cela signifiait que j'avais une ouverture différente, une capacité d'approcher les choses de façon différente et une démarche plus scientifique, plus rigoureuse.

L'augmentation du nombre d'étudiants

Les programmes de formation en ergothérapie sont contingentés. Ainsi en 1993, le programme de l'Université Laval reçoit 666 demandes alors

11. À son retour en France, Florence Jeay s'est occupée de la formation continue à l'Association nationale française des ergothérapeutes (ANFE). Grâce à elle, plusieurs ergothérapeutes québécois ont pu faire connaître leurs travaux à leurs collègues français, en étant invités à participer au programme de formation continue de l'ANFE.

qu'il ne peut admettre que 60 étudiants. De même, sur les 641 demandes d'admission reçues en 1996, le programme de l'Université de Montréal ne peut accueillir que 75 étudiants.

Par ailleurs, des pressions s'exercent régulièrement pour que la cohorte étudiante des programmes universitaires soit augmentée afin de répondre à la pénurie d'ergothérapeutes. À chaque fois, cela implique des démarches auprès des ministères de la Santé et de l'Enseignement supérieur pour obtenir les fonds nécessaires pour accueillir davantage d'étudiants. Chaque augmentation de la clientèle étudiante signifie aussi le besoin de recruter davantage de moniteurs cliniques pour encadrer les stagiaires.

Le ministère de l'Éducation accepte d'augmenter, au fil des ans, le nombre d'étudiants dans les programmes des universités de Montréal, Laval et McGill. Par ailleurs, en 2004, il accepte la création de deux nouveaux programmes de formation en ergothérapie à l'Université de Sherbrooke et à l'Université du Québec à Trois-Rivières.

De l'apprentissage de l'artisanat à l'approche par problèmes

Les techniques à l'honneur

Dans les années 1950 et 1960, la formation basée sur une panoplie de techniques préparait les étudiantes (qui étaient majoritaires) à devenir des femmes d'intérieur qui savaient tout faire : cuir et cuivre repoussés, macramé, linogravure, vannerie, broderie, couture (incluant les boutonnières françaises), menuiserie, céramique, tissage, imprimerie, peinture, fabrication de marionnettes. Plusieurs étudiantes de cette époque ont d'ailleurs conservé soit le plateau tressé, soit le berceau, réalisé pendant leurs 90 heures de cours de menuiserie.

Outre les diverses techniques mentionnées ci-haut, des cours professionnels proposent des laboratoires pour pratiquer les transferts et fabriquer des orthèses. Les étudiants suivent des cours d'anatomie, de physiologie, d'histologie, de chimie, de physique, de pathologie. Des laboratoires de dissection sont au programme de l'enseignement de l'anatomie.

Les étudiants en « occupation thérapie » de l'Université de Montréal ont même droit à un cours de théologie professionnelle de 30 heures et à un cours de morale médicale de 10 heures. Graduellement, on leur

Deux techniques enseignées dans les années 1950 et 1960 : broderie et macramé (Archives de Pamela Gauvin).

enseigne comment analyser le potentiel thérapeutique d'une activité plutôt que l'activité elle-même.

Par ailleurs, le sondage nous a permis de recueillir l'anecdote suivante :

> Vers 1960, dans le cours de Médecine et Chirurgie, nous avons eu une conférence en gynécologie par une des rares femmes médecin-gynécologue. Nous avons dû lui promettre de garder le silence sur la portion qui couvrait les méthodes anticonceptionnelles : elle risquait de perdre sa charge de cours si ce détail était révélé !

Au cours des années, on commence à leur enseigner des modèles théoriques américains, dont ceux de Gail Fidler, Anne C. Mosey, Lela Llorens et Jean Ayres. Le développement de fondements théoriques en ergothérapie se traduit graduellement dans la formation par une approche de raisonnement clinique plutôt que par l'acquisition d'habiletés. Au lieu d'enseigner à *faire de l'ergothérapie,* la formation vise dorénavant à apprendre à l'étudiant à *être ergothérapeute.*

Les méthodes pédagogiques évoluent également. Dans les années 1950 et 1960, la formation repose surtout sur des exposés magistraux et des expérimentations en laboratoire. Au cours des années 1970, les professeurs apprennent, avec l'aide de docimologues, des spécialistes de l'évaluation en pédagogie, à travailler avec des objectifs pédagogiques, cognitifs,

affectifs et psychomoteurs. Aux laboratoires et exposés magistraux s'ajoutent mises en situation, discussions de cas et jeux de rôle pour atteindre
ces objectifs. À l'Université de Montréal, le psychodrame pédagogique est
utilisé par Huguette Picard et Micheline Saint-Jean pour préparer les
étudiants à leur stage.

Par ailleurs, Rhoda Weiss-Lambrou met en ligne en 1998 le premier
cours virtuel de la Faculté de médecine de l'Université de Montréal : Aides
techniques en ergothérapie. Soulignons qu'elle devient, en 2000, directrice
du programme de soutien à l'utilisation de l'Internet et des technologies
dans l'enseignement puis directrice du Centre d'études et de formation
en enseignement supérieur (CÉFES).

Au cours des années 2000, l'ACE procède à la mise à jour du Profil
de la pratique des ergothérapeutes au Canada en précisant les compétences
nécessaires à l'exercice de la profession[12], compétences reliées aux différents rôles de l'ergothérapeute : expert en habilitation de l'occupation,
communicateur, collaborateur, gestionnaire de la pratique, agent de
changement, praticien érudit et professionnel. Les représentants des programmes de formation analysent ce modèle de compétences comme base
potentielle de leur formation ; il est d'ailleurs retenu aux universités de
Montréal, Laval, du Québec à Trois-Rivières, McGill et de Sherbrooke.
Pour acquérir ces compétences et rendre les étudiants plus autonomes
dans leur apprentissage, l'approche par problèmes, semble prometteuse,
de même que les démonstrations, les laboratoires d'habiletés et d'attitudes
cliniques, les technologies de l'information et de la communication, les
analyses de cas, l'utilisation d'un portfolio et de cartes conceptuelles, et
l'apprentissage du raisonnement clinique.

Une clinique en ergothérapie

Le projet d'une clinique offrant à la fois des services à la population et de
nouveaux endroits de stage aux étudiants est soulevé à quelques reprises
à l'Université de Montréal. Cela ne s'est cependant jamais réalisé. C'est à
l'UQTR que la première clinique universitaire offrant des services d'ergothérapie voit le jour, en 2011. Il s'agit de l'Équipe multidisciplinaire en

---

12. Association canadienne des ergothérapeutes, *Profil de la pratique de l'ergothérapie au Canada*, Ottawa, CAOT Publications ACE, 2007.

santé, regroupant trois volets : ergothérapie, orthophonie et sciences infirmières. La clinique accueille une clientèle infantile adressée par les Centres de la petite enfance, par le milieu scolaire (premier cycle : 1re et 2e années) et par des organismes communautaires.

Révisions et refontes des programmes de baccalauréat

Au cours des ans, le cursus des trois programmes d'ergothérapie est revu à plusieurs reprises, tant dans sa forme que dans son contenu, afin que la formation offerte suive l'évolution des besoins de la population québécoise et soit au fait des derniers développements dans la profession. Il s'agit parfois de révisions mineures, menant à quelques modifications de certains cours mais, à d'autres moments, ce sont des refontes en profondeur de l'ensemble de la formation.

Pour mieux saisir l'ampleur de ces refontes entreprises, prenons pour exemple le programme de l'Université Laval. Son cursus est revu une première fois en 1974, mettant de l'avant l'enseignement par objectifs après que les professeurs ont été formés par une spécialiste en docimologie. En 1980, un comité de réaménagement du programme est constitué. Ce programme réaménagé entre en vigueur en septembre 1985. En 1990, une nouvelle révision du programme, mineure cette fois-là, est faite. En 1993, un nouveau remaniement de la formation est nécessaire, compte tenu de l'intégration à venir des internats aux programmes universitaires.

Avec l'avènement de la maîtrise professionnelle en ergothérapie, les programmes de baccalauréat en ergothérapie doivent à nouveau être révisés pour s'arrimer au programme de deuxième cycle. Ainsi, à l'Université de Montréal, le programme de baccalauréat passe de 110 à 90 crédits et propose un processus intégratif selon un cadre conceptuel mettant de l'avant trois concepts clés : la personne, l'occupation et l'environnement[13].

Il faut cependant continuer à dispenser l'ancien programme aux étudiants déjà engagés dans cette formation tout en accueillant les étudiants de première année dans le nouveau programme. Une gymnastique de taille pour le corps professoral.

---

13. Programme d'ergothérapie, *Modification du programme de baccalauréat ès sciences (ergothérapie)*, Université de Montréal, mai 2005.

Les stages

Depuis le début de la formation en ergothérapie, les stages font partie intégrante des programmes.

En milieu clinique

Dans les premières années, c'est la directrice de programme qui est responsable de ces stages et qui s'acquitte du placement des étudiants. À cette époque, les professeurs sont mis à contribution pour établir des liens avec les milieux cliniques, entre autres pour procéder à l'agrément des milieux de stage. Éventuellement, les universités embauchent des personnes pour coordonner l'enseignement clinique, s'occuper de l'agrément des services, participer à la mise sur pied des programmes de formation clinique, trouver des stages et assister, au besoin, les cliniciens qui encadrent les stagiaires.

Dans les années 1950 et 1960, l'Institut de réhabilitation de Montréal reçoit bon nombre d'étudiants de l'Université de Montréal puisqu'il est un des rares milieux cliniques francophones. Toutefois, plusieurs étudiants de cette époque doivent faire des stages dans des hôpitaux anglophones et ce, malgré une connaissance limitée de la langue de Shakespeare. Quant à l'Université Laval, elle a plus de mal que les deux autres universités à trouver des lieux de stage, compte tenu d'un bassin moins grand d'ergothérapeutes dans la région de Québec.

Pendant très longtemps, les conditions des moniteurs cliniques ne sont toutefois pas faciles et la supervision des stagiaires, faite de façon bénévole, représente pour eux un surplus de travail. De nombreuses démarches sont entreprises pour corriger cette situation. Déjà, dans le rapport de l'OSS, en 1976, il était recommandé que des moniteurs cliniques soient engagés conjointement par les universités et les établissements de santé dans le cadre d'un contrat d'affiliation.

En 1990, le mémoire présenté par les représentants du programme d'ergothérapie de l'Université de Montréal à la Commission parlementaire des affaires sociales recommande que des ententes soient prises entre le ministère de l'Enseignement supérieur et de la Science et le ministère de la Santé et des Services sociaux pour régler la question du financement et développer une infrastructure permanente de soutien à l'enseignement[14].

14. Mémoire présenté par Francine Ferland à la Commission des affaires sociales sur la *Loi sur la santé et les services sociaux*, Infomed, 13 (4), 5-7, 1990.

C'est une longue démarche qui ne connaîtra son dénouement qu'en 2000 alors qu'une contribution financière de 17 $ par jour par étudiant est versée aux institutions qui reçoivent des stagiaires. Malgré tout, les sommes allouées par le ministère de l'Éducation pour les stages ne reviennent pas ou peu aux moniteurs des stages, réduisant ainsi l'aspect incitatif de cette mesure. Un document de la Santé et des Services sociaux nous apprend qu'en 2002, les stages ne sont pas rémunérés à l'Université McGill et seulement 14 semaines de stage sur 29 le sont à l'Université Laval[15].

En 2007, un groupe de travail, regroupant des représentants des universités, des ministères de l'Éducation, de la Santé et des Services sociaux ainsi que des représentants de l'OEQ, est mis sur pied pour développer une stratégie novatrice en matière de stages cliniques en ergothérapie. Le groupe propose la création d'un « rôle pivot » par établissement, pour identifier, définir, coordonner, actualiser et évaluer l'offre organisationnelle de l'ensemble des stages, quel que soit le champ d'activités, clinique, de gestion ou autre. Dans son rapport, déposé en 2011, il recommande de définir autrement le travail du superviseur pour qu'il soit comptabilisé dans les statistiques, afin de favoriser le recrutement de superviseurs en valorisant davantage cette fonction.

Dans les années 2000, le gouvernement instaure quatre réseaux universitaires intégrés de santé (RUIS) pour faciliter le déploiement des cohortes d'étudiants et de stagiaires en médecine, chacun desservi par l'une des quatre facultés de médecine (McGill, Montréal, Sherbrooke et Laval). Ces réseaux aident à organiser les stages en ergothérapie, mais, avec le décontingentement dans les programmes universitaires en ergothérapie au cours des dernières années et les collaborations historiques déjà existantes, le RUIS a des limites pour certaines régions, particulièrement pour les zones limitrophes comme Trois-Rivières et Drummondville.

Stages en milieu communautaire

Au cours des ans, des stages se font dans la communauté : CLSC, écoles, industrie. Ainsi de 1976 à 1980, l'Université de Montréal offre des stages en CLSC qui sont supervisés par Claire Gosselin. Comparativement au milieu hospitalier, les stagiaires en CLSC de cette époque se sentent au

---

15. *Planification de la main-d'œuvre dans le secteur de la réadaptation*, Santé et Services sociaux Québec, 2002, p. 101.

départ un peu déstabilisés : les activités et le matériel sont quasi absents et le domicile du patient est moins prévisible et moins contrôlable que la salle de thérapie[16]. Toutefois, ils y apprennent de façon très concrète l'importance d'orienter les interventions selon les besoins du bénéficiaire, son vécu, son milieu et de s'assurer que les acquis faits en ergothérapie puissent être généralisés lors du retour au domicile. Par la suite, ces stages sont intégrés dans les stages réguliers. À l'Université McGill, les stages en milieu communautaire pour les étudiants de 3ᵉ année commencent en 1974 et ceux en CLSC, au tout début des années 1980. À l'Université Laval, c'est vers 1985 que les stages en CLSC commencent.

Par ailleurs, depuis 2008, les étudiants de l'Université Laval peuvent faire des stages dans une compagnie d'assurances. Supervisés par des ergothérapeutes en pratique privée, les étudiants y procèdent à des études de postes de travail. À cette même université, les stages en pratique privée se font depuis 7-8 ans et deviennent de plus en plus fréquents.

Pendant quelques années, les étudiants de 3ᵉ année de l'Université de Montréal ont eu la possibilité de faire des stages dans des écoles régulières et ce, dans une optique de promotion de la santé. Ces stages ont cependant cessé en 2008 en raison de modifications majeures dans le programme.

Les stages internationaux

En 1998, les représentants du programme de l'Université Laval établit une entente de réciprocité pour échange d'étudiants avec six écoles européennes d'ergothérapie, en France, en Suisse, au Danemark et en Belgique. Depuis cette date, environ 150 étudiants québécois et étrangers ont pu bénéficier de ce programme. De plus, depuis l'an 2000, au deuxième trimestre de la troisième année, les étudiants de l'Université Laval peuvent s'inscrire au profil international et faire, pour 12 crédits, des stages internationaux et interculturels, dans des structures communautaires ou hospitalières, dans des pays en voie de développement. Une soixantaine d'étudiants ont ainsi fait de ces stages, entre autres au Paraguay et au Honduras. Le Bureau international de l'Université Laval offre des bourses d'études à ces étudiants qui doivent, par ailleurs, répondre à des critères d'excellence. Depuis 2003-2004, entre la deuxième et la troisième année,

---

16. Edmond, I., Dostie, C. (1987). Stage en CLSC, *Le Transfert*, 11, 2, 11.

une autre possibilité est offerte aux étudiants de l'Université Laval, soit le stage sur le terrain. L'étudiant propose lui-même son projet de stage : il en est le gestionnaire. Jusqu'à maintenant, un tel stage s'est fait en Martinique, en Tanzanie, au Lesotho, en République dominicaine et en Inde.

En 2000, l'Université de Montréal signe une entente de réciprocité avec les écoles d'ergothérapie de Nancy et de Paris pour permettre des échanges d'étudiants pour un stage. Ainsi chaque année, quatre étudiants québécois font des stages à Nancy et deux, à Paris. Depuis 2007, des stages sont aussi possibles en Suisse, en Belgique, en Australie, en Angleterre et aux États-Unis.

Les étudiants du programme de l'Université de Sherbrooke auront aussi accès à des stages internationaux puisqu'un projet de stage a été mis sur pied en 2010 avec l'Uruguay et Haïti.

Les internats

Jusqu'en 1994, après leur formation universitaire, les finissants en ergothérapie doivent faire des internats, soit des stages intensifs. Pour les étudiants ayant suivi la formation de deux ans, les internats sont de six mois ; puis, lors de la création du baccalauréat en ergothérapie, ils passent à quatre mois, soit deux en médecine physique et deux en psychiatrie. Ces stages peuvent se faire à l'extérieur de la province dans les hôpitaux canadiens.

À la suite des compressions budgétaires dans le domaine de la santé, le ministère des Affaires sociales annonce que les internats en ergothérapie seront intégrés aux programmes universitaires à compter de septembre 1978 et que l'allocation accordée aux étudiants jusqu'alors ne sera plus versée. En 1977, le montant de l'allocation était de 379 $ par mois quand le stage se faisait entre janvier et juin et de 401 $ pour les mois de juillet et août[17]. Cette annonce soulève un tollé de protestations, surtout de la part des étudiants qui craignent que la formation, qui intègre désormais ces stages à un programme déjà fort chargé, soit de moindre qualité.

En 1994, le ministère de l'Éducation donne son accord concernant l'intégration des internats à la formation universitaire. L'implantation de

---

17. Ministère des Affaires sociales : Allocations versées aux internes en physiothérapie et aux internes en ergothérapie, *Bulletin*, 2 (5), 2-3, 1978.

ces modifications aux programmes universitaires commence en septembre 1995.

Être étudiant en ergothérapie

Dans les années 1950 et 1960, l'ergothérapie est une profession fort peu connue et les étudiants qui s'y inscrivent le font souvent par hasard.

> J'ai choisi l'ergothérapie comme carrière... un peu par hasard. Je me destinais à être infirmière. J'étais au Collège Marguerite-Bourgeois pour faire mon immatriculation senior. Un jour, le Dr Gustave Gingras est venu nous présenter la nouvelle école qu'il venait de fonder à l'Université de Montréal, l'École de réhabilitation. Il nous a présenté les professions de physiothérapie et d'ergothérapie que l'on appelait à l'époque «occupation thérapie». C'est donc à la suite de cette visite du Dr Gingras que je me suis inscrite en septembre 1954.
>
> ANDRÉE FORGET

> Avoir choisi l'ergothérapie, à l'époque où je l'ai choisie, c'est quasiment un miracle. Ce que l'on nous proposait, c'était infirmière, technicienne en laboratoire, professeur. Je voulais faire quelque chose de différent. Je suis vraiment à ma place.
>
> GISÈLE TALBOT

> J'avais été acceptée comme infirmière. Un jour, il y eut des portes ouvertes à l'École de réhabilitation. J'y suis allée et ce que faisait l'ergothérapie m'a passionnée : les activités, la mission de réadaptation et tout l'aspect créatif de la profession. Comme c'était une toute jeune profession, je pouvais faire une différence. Il n'y avait pas beaucoup de seniors mais beaucoup de juniors ; j'en étais une. J'ai pu faire beaucoup d'activités, participer à de nombreux comités. Ça m'a permis de faire une belle carrière.
>
> COLETTE TRACYK

Dans les années 1950, les candidats à l'Université de Montréal doivent parler anglais. Voici ce que confiait Josephine Forbes en 1955, au journal *The Gazette*: « We enrolled only bilingual students last year. I could hardly speak French when I came here. You can imagine how confusing it was ». Colette Dion-Hubert et Françoise Bergeron, qui ont étudié à l'Université de Montréal de 1957 à 1960, se souviennent que plusieurs de leurs cours étaient en anglais. Les examens l'étaient aussi. De plus, les stages se faisaient presque exclusivement dans des milieux anglophones, compte tenu que les centres francophones étaient quasi inexistants, à l'exception de l'Institut de réhabilitation de Montréal et de l'Hôpital Sainte-Justine.

Dans les années 1960, avec l'arrivée de professeurs francophones, la situation en classe change : les cours sont en français. Avant d'être sélectionné, chaque candidat est reçu en entrevue par un professeur du programme. On y évalue alors sa motivation et sa maîtrise de l'anglais. Toutefois, les exigences sur ce plan sont nettement moins élevées que dans les années 1950 : être capable de répondre adéquatement à une question aussi simple que « Is it raining outside ? » suffit. Le dossier scolaire est l'élément principal de sélection.

Durant cette décennie, les étudiants peuvent bénéficier de bourses s'ils s'engagent à travailler au moins trois ans en psychiatrie ou en pédopsychiatrie. Des bourses sont également offertes par la Commission des accidents de travail (CAT) pour inciter les étudiants venant des régions à retourner y travailler. C'est le cas d'étudiantes originaires de Québec qui se préparent à travailler au futur centre de réadaptation de Québec. Certains milieux hospitaliers offrent aussi des bourses, par exemple à l'Hôpital Laval, à Québec.

Au cours de la dernière année de formation, les étudiants des années 1960 à l'Université de Montréal doivent faire une monographie, soit un travail approfondi sur un sujet donné. Chacun doit faire approuver le sujet qu'il souhaite traiter par le Dr Gingras, alors directeur de l'École de réhabilitation. Voici quelques exemples de sujets de monographies :

- *Opération POT : Statistiques rétrospectives*, Michèle Dell'aniello, Catherine Gravel, Diane Bélanger, Lise Dupuis, Marjolaine Lambert et Raymonde Boislard, 1965 ;
- *La part de l'ergothérapie dans la réhabilitation des aveugles*, Françoise Rollin, 1966 ;
- *Comment vivre son quotidien en étant diabétique*, Élisabeth Dutil, 1966 ;
- *Approche préventive en pédiatrie dans le contexte des crèches*, Francine Ferland, 1969.

Il fut un temps où, pendant leur stage, les étudiantes portaient un uniforme. Au début des années 1960, elles portaient même une coiffe comme les infirmières et ce, tant à l'Université McGill que de Montréal.

La coiffe est disparue au cours des années suivantes, mais l'uniforme blanc, les souliers blancs et l'épinglette indiquant le nom de la stagiaire se sont maintenus pendant quelques années à l'Université de Montréal. Cet uniforme permettait aux patients et au personnel de les identifier. Les rares étudiants masculins portaient un sarrau.

Dans les années 1970 et 1980

À l'Université McGill, dans les années 1970, les étudiants en stage portent un uniforme vert, puis dans les années 1980, un sarrau beige et un pantalon brun. À l'Université Laval, c'est la jupe-culotte que portent les stagiaires et ce, jusqu'en 1980.

Comme nous le rapporte Louis Trudel, à compter de 1970, les conditions d'admission au baccalauréat à l'Université Laval sont la réussite d'études collégiales en sciences de la santé ou en sciences de la nature (ou de la vie). Au milieu des années 1980 apparaît l'exigence de la maîtrise de l'anglais lu pour faciliter le cheminement scolaire recourant essentiellement à des textes de références en anglais. Il n'y avait pas toutefois pas d'évaluation de la qualité de l'anglais à ce moment-là.

En 1986, les étudiants en ergothérapie et en physiothérapie des universités McGill, Laval, d'Ottawa et de Montréal mettent sur pied un symposium : l'Occupational and Physical Symposium d'ergothérapie et de physiothérapie (OPSEP). L'objectif de cet événement annuel est d'offrir un volet éducatif complémentaire aux notions acquises dans les cours. Les étudiants invitent à maintes reprises les professeurs à présenter leurs activités de recherche. Organisé par les étudiants eux-mêmes, le symposium se tient dans l'une ou l'autre de ces universités. En 1993 s'ajoutent les étudiants de la Queen's University, de l'Ontario.

Pour permettre aux étudiants d'avoir une tribune pour s'exprimer, une chronique créée par Hélène Plourde, étudiante à l'Université de Montréal, et intitulée « Porte-parole de la relève » voit le jour dans *Le Transfert* en 1988. Dans la *Revue québécoise d'ergothérapie*, on trouve aussi la rubrique « Plume des étudiants », qui leur donne la parole.

Dans les années 1990 et 2000

Au cours des années 1990, l'exigence de la maîtrise du français et de l'anglais à l'Université Laval est formalisée et évaluée. Les collégiens doivent réussir l'épreuve de français et se classer au moins au niveau intermédiaire en anglais.

Les étudiants des différentes universités sont appelés à participer à la vie tant du programme d'ergothérapie que de leur département en étant membres de divers comités : comité pédagogique, de promotion, assemblée de département. À l'OEQ, dans les années 1990, en plus des représentants des programmes universitaires, le comité de formation compte aussi un membre étudiant qui fait valoir le point de vue de ses collègues.

Dans les années 2000, des étudiants en ergothérapie participent à des projets de coopération internationale. À titre d'exemple, en 2003, cinq finissants du programme d'ergothérapie de l'Université de Montréal (Geneviève Gagné, Myriam Fontaine, Maude Demers-Bonin, Véronique Drapeau et Christian Guilbault) sont finalistes dans le secteur Avenir santé et ils sont honorés lors du 6e gala de Forces avenir[18]. Leur projet, appelé « Desarollo », c'est-à-dire « Développement », se déroule à l'Institut psychopédagogique, situé dans la ville de Sucre en Bolivie. Les services qu'ils offrent visent la santé, la réadaptation, l'insertion sociale et l'éducation d'enfants de 0 à 18 ans qui vivent une situation de handicap et qui proviennent de milieux défavorisés. Ces nouveaux ergothérapeutes œuvrent dans des unités de pédiatrie et de pédopsychiatrie, dans les résidences et dans les milieux visant l'intégration sociale de jeunes adultes. Encore en 2009, des étudiants mentionnent dans le sondage qu'ils vont ou qu'ils sont allés en Bolivie pour poursuivre ce travail.

La parole aux étudiants d'aujourd'hui

Nous avons voulu donner la parole aux étudiants actuels pour connaître leur motivation à l'égard de la profession et leur vision de l'avenir. Nous avons rejoint 245 étudiants grâce au sondage qui leur a été adressé (voir l'annexe - Sondages).

Choisir l'ergothérapie

Dans le sondage, les étudiants évoquent divers aspects de la profession qui ont motivé leur choix de carrière : la relation d'aide, la philosophie holistique

---

18. *Forces avenir – des modèles à suivre*, programme du Gala 2004.

de la profession, la diversité des clientèles et les possibilités d'emploi. Voyons quelques réponses :

- En premier lieu, j'ai choisi l'ergothérapie parce que c'était dans le domaine de la santé. En deuxième lieu, pour la relation d'aide qui est omniprésente dans notre profession. En troisième lieu, parce que c'est très vaste en termes de milieux de pratique et de clientèles. (répondant n° 16)
- Pour le contact privilégié avec les patients, la possibilité de les aider concrètement dans leur vie de tous les jours. (répondant n° 33)
- Pour la grande variété de domaines et de milieux dans lesquels nous pouvons travailler. (répondant n° 38)
- Cette profession offre l'avantage de considérer la personne dans son ensemble, ce qui nous permet d'avoir un rapport privilégié avec les patients. Aussi, l'activité est, selon moi, un excellent outil thérapeutique. (répondant n° 80)

Les forces de la profession

Les forces de l'ergothérapie, telles que mentionnées par les étudiants, ressemblent aux raisons qui les ont amenés à choisir la profession : le fait de considérer les personnes dans leur globalité et leur complexité, l'approche centrée sur le patient, la force de l'activité comme modalité thérapeutique, la capacité d'adaptation de la profession et des ergothérapeutes, le mélange de rigueur scientifique et de créativité.

- L'ergothérapie est le mélange de deux mondes complètement différents : les sciences de la santé et les sciences humaines. C'est, selon moi, une des grandes forces de l'ergothérapie. Par ailleurs, c'est un métier très créatif qui me fascine. Bref, c'est le plus beau métier du monde. (répondant n° 79)
- Quand rien d'autre ne fonctionne, l'ergothérapie a encore quelque chose à offrir. (répondant n° 161)
- Les ergothérapeutes favorisent l'autonomie dans les activités quotidiennes. (répondant n° 30)
- Nous sommes toujours prêts à essayer de nouvelles options, de nouvelles méthodes. Bref, nous allons toujours de l'avant. (répondant n° 122)

Quel est votre rêve pour l'ergothérapie de demain ?

La réponse la plus répandue à cette question, donnée par 170 répondants sur 196, est une plus grande reconnaissance de la profession.

- Cette profession est encore mystérieuse pour trop de gens. (répondant n° 18)
- Je rêve que l'ergothérapie soit plus connue et mieux comprise. (répondant n° 193)
- Que ce soit une profession mieux connue et reconnue par la population mais aussi par les autres professionnels de la santé pour que le plus de gens possible puissent en bénéficier. (répondant n° 177)

3

La pratique clinique

Le travail des mains oblige l'esprit à la tranquillité et
laisse le champ libre aux mouvements de l'âme.

DIDEROT

C'est l'évolution de la pratique de l'ergothérapie qui est en quelque sorte
au cœur de ce livre, mais l'angle sous lequel l'aborder était malaisé à
choisir : par secteur d'activités (santé physique, santé mentale), par clientèle (enfants, adultes, personnes âgées), par région (Montréal, Québec,
Outaouais, Gaspésie et autres), par décennie ? Après avoir considéré ces
différentes avenues, nous avons décidé de présenter l'histoire de la pratique
clinique de l'ergothérapie selon quatre périodes de 20 ans chacune.

Compte tenu de l'importance de l'implication des ergothérapeutes
dans la pratique en milieu communautaire (CLSC, écoles, pratique privée),
de même que leur apport en santé publique, nous avons décidé de leur
consacrer un chapitre (voir le chapitre 4).

Précisons qu'avant l'arrivée d'ergothérapeutes dans certains établissements, il existait déjà des ateliers d'activités sous la responsabilité de
moniteurs ou de religieuses. De plus, même si une ergothérapeute était
embauchée dans un milieu, la création du service d'ergothérapie pouvait
ne se réaliser que quelques années plus tard.

La terminologie

La terminologie utilisée dans la profession pour désigner les secteurs d'activités a évolué au cours des ans. Longtemps on a parlé d'ergothérapie en médecine physique, en pédiatrie et en psychiatrie, expressions calquées sur le modèle médical. Puis des termes davantage axés sur la clientèle et la santé les ont remplacées : santé physique et santé mentale auprès de l'enfant, de l'adulte et des aînés. Par ailleurs, ceux faisant appel aux services de santé ont aussi reçu des appellations différentes selon les époques. Ils étaient des malades, des patients, et ils sont devenus des usagers, des bénéficiaires puis des clients. Même chose pour les personnes recevant des services de réadaptation ; les infirmes des années 1940 et 1950 sont devenus des handicapés puis des personnes handicapées et, enfin, des personnes présentant une déficience ou une incapacité et qui se retrouvent en situation de handicap. Également, au début des années 1970, l'appellation *réhabilitation* – qui fait surtout référence au système juridique – est remplacée par le terme «réadaptation». Sans oublier que de «thérapeutes d'occupation», nous sommes devenus ergothérapeutes dans les années 1960. Par ailleurs, depuis les années 2000, dans une approche centrée sur le client privilégiant une taxonomie positive, de nouveaux termes sont retenus par les équipes de soins : capacités, habitudes de vie et participation sociale du client.

Les années 1930 et 1940 : des débuts modestes

Au cours des décennies 1930 et 1940, les débuts de l'ergothérapie au Québec sont modestes compte tenu des effectifs, mais les premières bases de la profession sont posées dans différents milieux.

Des faits marquants

La Seconde Guerre mondiale fait ressortir les besoins de services pour les blessés de guerre qui survivent grâce au développement de la science et de nouvelles techniques. Également, dans les années 1940, des épidémies de tuberculose et de poliomyélite[1] se déclarent au Québec, requérant les services de «thérapeutes d'occupation».

1. Pour avoir une idée de l'ampleur de l'épidémie de poliomyélite, voir le site http://grandquebec.com

On peut alors comprendre que, dans l'après-guerre, il y ait eu pénurie d'ergothérapeutes et ce, même si en 1947, le Québec était la deuxième province en importance au Canada après l'Ontario, quant au nombre d'ergothérapeutes et au nombre de départements, comme nous l'apprennent les archives de la Quebec Society of Occupational Therapy Inc. (QSOT).

Le travail des « thérapeutes d'occupation »

En 1926, le service d'ergothérapie du Verdun Protestant Hospital, qui devient l'Hôpital Douglas en 1965, est ouvert par Marie Caton : elle en assure la direction jusqu'en 1955[2]. À l'Hôpital Royal Victoria, les archives de la QSOT mentionnent que des services de « *Occupation therapy* » sont offerts à compter de 1931[3]. D'autres établissements bénéficient aussi de thérapies d'occupation : le Allan Memorial Institute et le Old People's Home pour les patients psychiatriques, le Shrinners Hospital for Crippled Children, le Children's Memorial Hospital et le Junior League School of Occupational Therapy pour les enfants, et le DVA Hospital Ste-Hyacinthe pour les patients tuberculeux et les cas de méningites et, enfin, l'Industrial Institute of Epileptics.

En 1932, on ne compte que 12 « thérapeutes d'occupation » au Québec et les services ne sont offerts que dans des établissements anglophones montréalais. En 1936, Gertrude Ellis met sur pied le service de « thérapie d'occupation » au Montreal Children's Hospital[4]. D'autres « thérapeutes d'occupation » œuvrent dans des organismes à vocation sociale comme le Montreal Industrial Institute et le Occupational Therapy Centre (OTC)[5]. Ce dernier centre deviendra, en 1951, le Occupational Therapy and Rehabilitation Center (OTRC) puis, en 1964, le Centre de réadaptation Constance Lethbridge (CRCL). Un rapport annuel de l'OTRC rapporte que l'OTC avait pour but de « développer "l'occupation thérapie" au foyer, dans les hôpitaux, les institutions de traitements mentaux, les

---

2. Archives de l'Hôpital Douglas, *Rapports annuels du service d'ergothérapie*, 1935-1955.
3. Archives de l'OEQ, QSOT minutes 1930-1939.
4. Archives des auteures, *History of department, 1936-1942*, Department of occupational therapy, The Montreal Children's Hospital, 29 septembre 1978, 8 p.
5. Archives de l'OEQ, QSOT minutes 1930-1939, 1947-1948.

institutions d'éducation, les sanatoriums de tuberculeux et autres établissements ».

Au cours de la Seconde Guerre mondiale, les « thérapeutes d'occupation » se retrouvent dans les hôpitaux militaires fédéraux comme le Queen Mary Veterans Hospital, l'Hôpital Sainte-Anne dans la région de Montréal et l'Hôpital des Anciens Combattants dans la région de Québec. Dans ce dernier centre, c'est Marie-Paule Poulin qui y travaille après avoir complété son cours d'ergothérapie à l'Université de Toronto en 1948. Les ergothérapeutes dans ces milieux développent des compétences dans la réadaptation des personnes présentant des lésions médullaires et dans le traitement des patients amputés.

À cette époque, on est loin de s'appuyer sur des modèles théoriques et d'utiliser des outils valides pour l'évaluation. Quant au traitement, qui est prescrit par les médecins, il consiste en l'utilisation d'activités artisanales (par exemple tissage, peinture digitale, tapisserie, broderie, travail du bois), de loisirs ou de travail. Bien que l'activité soit vue par certains comme salutaire pour le corps et l'esprit[6], d'autres n'y voient qu'un moyen de garder les malades mentaux et les blessés de guerre occupés, pendant leur convalescence.

À noter que peu d'informations sont disponibles sur les conditions de travail des ergothérapeutes pour cette période, mais nous savons qu'en 1947, leur salaire annuel de base se situait entre 1320 $ et 1500 $[7].

Les années 1950 et 1960 : tout se met en place

Cette période est cruciale dans le développement de l'ergothérapie au Québec. Ce développement est intimement lié aux changements qui surviennent dans le domaine de l'éducation et de la santé.

Des faits marquants

Pour contrer la pénurie d'ergothérapeutes, deux programmes de formation universitaire voient le jour à Montréal, dans les années 1950 (voir le

6. Driver, M. (1968), A philosophic view of the history of occupational therapy in Canada, *Canadian Journal of Occupational Therapy*, 35 (2), 53-60.
7. Arsenault, D. et Tremblay, L. (1999), 25 ans d'histoire et d'écrits, *Le Transfert*, 8, 5-7.

chapitre 2). Cela contribue à l'essor que connaît l'ergothérapie au début des années 1960, particulièrement dans les milieux francophones.

Comme les deux programmes de formation universitaire offerts à Montréal sont mis sur pied par des physiatres (les Drs Gingras et Fisk), le secteur d'activité de la médecine physique adulte et enfant prend un essor particulier dans les milieux où la physiatrie se développe. Nous assistons au cours de la décennie 1950 à la création de nouveaux centres de réadaptation à Montréal, à Québec et à Trois-Rivières.

Par ailleurs, comme le programme d'ergothérapie de l'Université Laval voit le jour plus tardivement, soit en 1968, des ergothérapeutes d'Angleterre, de France, de Belgique, de Suisse et d'Allemagne viennent prêter main-forte aux ergothérapeutes de cette région. Ainsi, l'ergothérapie émerge dans certains milieux grâce au travail de ces pionniers que sont Patricia Archer, Pamela Gauvin, Elizabeth Gibb et Diana Meredith (Angleterre), Martine et Richard Bueguer (Suisse), Christian et Louise Vancraenenbroeck (Belgique), Frédérique Clenché (France) et Ute Ketner (Allemagne). C'est aussi le cas dans d'autres régions du Québec.

Le réseau de la santé connaît aussi des changements majeurs au cours de cette période. Ainsi, la *Loi sur l'assurance-hospitalisation* est adoptée en 1960 et la Régie de l'assurance maladie du Québec (RAMQ) est mise sur pied en 1969. Ces changements contribuent à créer plusieurs postes en ergothérapie et incitent les ergothérapeutes à innover en explorant de nouveaux secteurs d'activité[8].

Au début des années 1960, on assiste aussi à une réforme du système psychiatrique québécois. Un livre-choc, *Les fous crient au secours*, publié en 1961 par Jean-Charles Pagé, un ex-patient de l'Hôpital Saint-Jean-de-Dieu, conduit à la création d'une commission d'enquête et le rapport Bédard qui s'ensuit préconise la désinstitutionnalisation des malades mentaux. Cette réforme requiert davantage d'ergothérapeutes pour offrir des services dans la communauté aux patients présentant des troubles mentaux. On assiste aussi à la création d'unités de psychiatrie dans les hôpitaux et à l'implantation d'équipes volantes multidisciplinaires dans diverses régions du Québec.

8. Prud'homme, J. (2011), What Is a « Health » Professional? The Changing Relationship of Occupational Therapists and Social Workers to Therapy and Healthcare in Quebec, 1940–1985, *CBMH/BCHM*, 28 janvier, p. 71-94.

Au cours de ces deux décennies, la mise sur pied de services d'ergothérapie se fait très souvent par des ergothérapeutes nouvellement diplômées. Elles en deviennent chefs, et ce, malgré le peu de notions reliées à la gestion dans leur formation. Elles doivent apprendre sur le terrain à développer des programmes, à gérer des budgets et à coordonner du personnel.

Le travail des ergothérapeutes

L'ergothérapie s'implante donc dans plusieurs nouveaux milieux : les centres de réadaptation, les établissements hospitaliers et les institutions psychiatriques, où les clientèles sont variées et de tous âges. En réadaptation physique, on trouve des cas de poliomyélite, de paralysie cérébrale, de malformations congénitales, de brûlures, d'hémiplégie, des amputés, des accidentés du travail, des blessés médullaires, des personnes requérant des soins en orthopédie ou en rhumatologie. En psychiatrie, la clientèle desservie est principalement constituée de jeunes schizophrènes, de psychotiques, de maniaco-dépressifs, ou présente des troubles anxieux ou des dépressions situationnelles.

Fondé par le Dr Gustave Gingras en 1949, l'Institut de réhabilitation de Montréal ouvre un service d'ergothérapie en 1952. Ce centre devient l'Institut de réadaptation de Montréal (IRM) en 1976, puis l'Institut de réadaptation Gingras-Lindsay de Montréal (IRGLM) en 2008. Cet institut fait figure de proue dans le domaine de la réadaptation, non seulement au Canada, mais également à l'étranger. Le service d'ergothérapie est situé, au début, dans les locaux du Montreal Convalescent Hospital. Il n'est pas rare qu'avec leur diplôme combiné, les thérapeutes travaillent comme ergothérapeutes le matin et se transforment en physiothérapeutes l'aprèsmidi. Jeannette Hutchison se joint à l'équipe en 1957 à l'invitation du Dr Gingras. Elle devient chef de la section d'ergothérapie en 1963 et le demeurera jusqu'en 1973.

À la suite de Jeannette Hutchison, Monique Audet assure la direction du service pendant 25 ans.

Dans les années 1960, la pratique de l'ergothérapie à l'IRM est marquée par le drame de la thalidomide, un médicament prescrit aux femmes enceinte souffrant de nausées mais qui s'est révélé entraîner des malformations chez les bébés. Certains naissaient sans bras, ou les mains reliées

Jeannette Hutchison : La grande dame de l'ergothérapie

Jeannette Hutchison était ainsi appelée par le Dr Gingras et par différents médecins qu'elle a côtoyés. Diplômée de la première cohorte d'étudiantes à l'Université de Montréal en 1957, elle consacre toute sa carrière d'ergothérapeute à l'Institut de réadaptation de Montréal. Un grand nombre d'ergothérapeutes ont bénéficié de sa supervision lors de stages à l'Institut. Elle n'est pas étrangère à l'évolution de l'ergothérapie. Elle développe le volet des activités de la vie quotidienne et une section d'orthèses créées et fabriquées sur mesure. Membre de l'équipe du Dr Gingras, elle participe à une mission internationale au Maroc. Pour le Dr Gingras, Jeannette Hutchison était «un inventeur, les handicapés lui doivent toute une série d'instruments destinés à leur rendre la vie plus facile. (...) Jeannette était mariée à son travail, à ses malades et à l'Institut[1].» D'ailleurs, à la fin de sa vie, elle demande à être transportée à l'Institut alors qu'elle se sait condamnée et elle y meurt le soir même, soit le 19 février 1974. Le Dr Gingras s'exprime ainsi au moment de son décès : «Avec la disparition de Jeannette Hutchison, notre Institut et la profession d'ergothérapie tout entière perdent un de leurs membres les plus dévoués, les plus nobles et les plus illustres.» Pour lui rendre hommage, en 2009, l'Institut de réadaptation de Montréal donne son nom à une salle. Sa renommée a dépassé les frontières puisqu'en 2007, l'atelier d'ergothérapie du service de médecine physique et de réadaptation de l'Hôpital Albert Chenevier à Créteil en France porte son nom[2].

1. *Bulletin de l'Institut de réhabilitation de Montréal*, février 1974.
2. Hamonet, C. (2007), Contribution à l'histoire de l'ergothérapie et de la réadaptation. Une pionnière québécoise : Jeannette Hutchison (1927-1974), *Journal de réadaptation médicale*, XXVII (4), 139-140.

directement aux épaules, ou avec les pieds attachés aux hanches. La prise en charge de ces enfants pose un défi de taille à la direction et au personnel de l'IRM. Denise Mauger est alors sollicitée par Jeannette Hutchison pour faire partie du programme de thalidomide, d'autant plus qu'elle répond aux critères de sélection : être célibataire, bilingue et avoir une formation ergo-physio. Denise Mauger visite des établissements en Écosse, en Angleterre et à New York où sont traités des enfants victimes de la thalidomide ; c'est ainsi qu'elle acquiert une compétence unique pour soigner ces enfants.

Toujours dans la région de Montréal, le Centre de réadaptation Constance Lethbridge (CRCL) offre des ateliers protégés destinés à préparer les patients ayant un handicap physique à un éventuel retour sur le marché du travail. Sous la direction de Constance Lethbridge, travailleuse sociale, et de Joan Hosack-Bernd, ergothérapeute, ce centre souhaite élargir son approche afin de tenir compte de l'ensemble des aspects de la personne, en développant davantage les services à domicile, les ateliers protégés et en accueillant une clientèle infantile. Contrairement aux autres établissements de la santé, il n'y a pas de médecin sur place. Les décisions relatives aux patients se prennent en équipe. Si l'équipe pense que tel patient peut bénéficier de l'ergothérapie, la question est réglée, qu'il y ait ou non un médecin à cette réunion.

En 1967, le CRCL envoie une ergothérapeute, Colette Dion-Hubert, faire un stage au Centre St-Paul, à Boston, pour étudier les traitements offerts aux patients ayant des problèmes visuels. À son retour, elle adapte ces approches et ces techniques à des clients du CRCL devenus récemment aveugles pour les aider à devenir autonomes dans leurs activités de tous les jours. La clientèle présentant des problèmes visuels importants bénéficie des services d'ergothérapie au CRCL jusqu'en 1976. Par ailleurs, Colette Dion-Hubert, qui enseigne à l'Université de Montréal à compter des années 1970, fait bénéficier les étudiants de sa compétence acquise pendant 20 ans.

Dans la région de Québec, la Clinique de réhabilitation de Québec est mise sur pied en 1956, par le physiatre Maurice Delage et par maître Paul Chartrand. À l'origine, elle a comme vocation d'offrir des traitements en clinique externe aux accidentés du travail. Elle élabore aussi un programme pour les enfants présentant une paralysie cérébrale auquel deux ergothérapeutes d'Angleterre, Pamela Gauvin et Patricia Archer, participent. En 1964, la clinique devient le Centre François-Charon, puis, en 1996, l'Institut de réadaptation en déficience physique de Québec (IRDPQ), issu de la fusion de quatre centres de réadaptation en déficience physique de la région de Québec. La Clinique de réadaptation de Montréal-Pavillon Laurier dessert également la clientèle accidentée du travail. L'ergothérapie y est implantée en 1966 par Gisèle Bergeron.

Dans les établissements hospitaliers anglophones, l'ergothérapie en médecine physique continue à se développer. C'est le cas par exemple au Royal Victoria Hospital, où Joane MacPherson, une ergothérapeute originaire d'Écosse, met en place le service d'ergothérapie dans les années 1950. Joane MacPherson développe une expertise particulière pour la réadaptation des personnes présentant un traumatisme de la main : elle attribue beaucoup de vertus thérapeutiques au tissage avec des herbes de mer. Dans les années 1960, des ergothérapeutes s'ajoutent au personnel du Royal Victoria Hospital, dont Marie Watt et Madeleine Shaw, d'Écosse. Cette dernière y occupera le poste de chef pendant 40 ans.

Dans les hôpitaux francophones, c'est dans les années 1960 que l'ergothérapie fait son entrée en médecine physique, à l'Hôpital Notre-Dame et à l'Hôpital du Sacré-Cœur[9] dans la région de Montréal, et à l'Hôtel-Dieu de Québec, à l'Hôpital Laval et à l'Hôpital de l'Enfant-Jésus, dans la région de Québec[10]. Des ergothérapeutes d'Angleterre participent à la mise sur pied des services d'ergothérapie à Québec ; Diana Meredith à l'Hôtel-Dieu de Québec et Pamela Gauvin, à l'Hôpital de l'Enfant-Jésus. Dans la région de Trois-Rivières, c'est au Centre hospitalier Cooke, sanatorium pour tuberculeux à l'époque, que l'ergothérapie voit le jour grâce à des ergothérapeutes français venus faire un travail de coopération dans le cadre de leur service militaire. Angèle Guertin est la première ergothérapeute embauchée par le Centre hospitalier de l'Université de Sherbrooke (CHUS) pour la réadaptation physique en septembre 1969 ; elle travaille avec Michel Decherf, ergothérapeute coopérant militaire français.

En 1967, Doris Lemay est une des premières à exercer l'ergothérapie à Hôpital de Chicoutimi. À son arrivée, elle a la responsabilité d'offrir des traitements à une clientèle de pédiatrie, neurologie, orthopédie, rhumatologie. Elle apprécie l'aide d'un moniteur en sculpture, formé à Saint-Jean-Port-Joli, pour la finition des adaptations, qui étaient en bois à l'époque.

Dans certains cas, c'est grâce à l'initiative de physiothérapeutes que des postes sont ouverts en ergothérapie. Dans d'autres, c'est à la demande d'un physiatre ou du directeur d'une institution. Ainsi, le directeur du Jewish Convalescent Hospital, maintenant appelé Hôpital juif de réadaptation, invite Françoise Poirier à mettre sur pied l'ergothérapie dans son établissement.

Bien que des ergothérapeutes offrent des services aux enfants dans les hôpitaux et les centres de réadaptation, il faut attendre les années 1960 pour que l'ergothérapie apparaisse dans les milieux spécialisés pour la clientèle infantile, particulièrement dans les institutions francophones.

9. Le service d'ergothérapie a 40 ans, *InterCom*, Hôpital du Sacré-Cœur de Montréal, n° 2, 2000.
10. Gauvin, P., Lewis, L., Lajoie, L. et Robitaille, M. (1976), Présentation du département d'ergothérapie de l'Hôpital de l'Enfant-Jésus, *Bulletin*, 1 (6), 14-18.

À l'Hôpital Sainte-Justine de Montréal, les premières ergothérapeutes se retrouvent au sein du service de réadaptation, sous la direction de Margot Pednault, physiothérapeute. En 1968, l'ergothérapie devient un service autonome sous la direction de Nicole Paré-Fabris. En 1965, Thérèse Derome met sur pied le service d'ergothérapie à l'Hôpital Mont-Providence, aujourd'hui Hôpital Rivière-des-Prairies. Des services d'ergothérapie sont offerts à l'Hôpital Marie-Enfant en 1968 et à l'Hôpital Douglas, en 1969.

Dans la région de Québec, le Centre Cardinal-Villeneuve qui s'adresse à une clientèle infantile voit le jour en 1969[11]. Martine et Richard Bueguer sont les premiers à y pratiquer l'ergothérapie. Des ergothérapeutes venus de France traitent des enfants à la Clinique de réadaptation de Trois-Rivières au moment de sa création en 1953.

L'ergothérapie en psychiatrie s'implante dans plusieurs milieux. Ainsi au Sanatorium Prévost, qui devient en 1955 l'Institut Albert-Prévost, Gisèle Bergeron y est embauchée en 1953 et y restera un an et demi[12]. Ce n'est que quelques années plus tard, soit en 1961, et sur l'insistance du psychiatre Camille Laurin, qu'une autre ergothérapeute, Micheline H. Marazzani, est embauchée. Avant l'arrivée d'ergothérapeutes, il y avait déjà une structure de loisirs et d'activités thérapeutiques sous la supervision des infirmières. L'arrivée d'ergothérapeutes n'est pas nécessairement bien vue par le personnel en place. Il faut 7 à 8 ans avant que la profession fasse vraiment sa place et qu'elle accède à une structure de véritable service. C'est en 1963 qu'on nomme la première chef de service en ergothérapie, soit Michèle Drevet. En 1973, par décision ministérielle, l'Institut Albert-Prévost et l'Hôpital du Sacré-Cœur fusionnent et le service d'ergothérapie relève alors de l'unité de psychiatrie de l'hôpital. Gisèle Bergeron est embauchée par l'Hôpital du Sacré-Cœur de Montréal en 1960 après avoir été sollicitée par le psychiatre Marcel Boisvert. Beaucoup de défis l'attendent pour faire émerger l'ergothérapie au sein de cet hôpital d'abord destiné aux tuberculeux.

---

11. Tremblay, B., (1980), Archives du Centre Cardinal-Villeneuve, *Historique du Centre Cardinal-Villeneuve*.
12. Entrevue téléphonique avec Gisèle Bergeron, le 23 décembre 2010.

Gisèle Bergeron, une pionnière

Au cours de sa carrière, Gisèle Bergeron cumule les premières. Elle est :

- la première chargée de cours francophone à l'Université de Montréal et au Canada ;
- la première ergothérapeute embauchée par l'Institut Albert-Prévost, l'Hôpital du Sacré-Cœur et la Commission des accidentés du travail (CAT) à Montréal ;
- la première à publier un article en français dans la *Revue canadienne d'ergothérapie* en 1960 (*Actualités ergothérapiques*, 2001).

Elle a également été présidente de la Société des ergothérapeutes du Québec (SEQ) pendant trois ans. Elle a servi dans l'armée à titre de lieutenant.

Anne Lang-Étienne, formée en France, travaille de 1969 à 1971 à l'Hôpital Saint-Jean-de-Dieu, qui devient l'Hôpital Louis-Hippolyte Lafontaine en 1975. Par ailleurs, la directrice générale, sœur Gilberte Villeneuve, incite une infirmière, Thérèse Gagnon, à faire son cours d'ergothérapie dans les années 1960[13]. Le service d'ergothérapie ne voit le jour qu'en 1975, sous la direction de cette dernière. Par la suite, Michel Villemaire en assurera la direction pendant 22 ans. À l'implantation du service, il n'y a que quatre ergothérapeutes pour un bassin de plus de 3000 patients.

À l'Hôpital Saint-Michel-Archange, qui devient le Centre hospitalier Robert-Giffard (CHRG) en 1976, et l'Institut universitaire en santé mentale de Québec en 2009, on offre à des étudiants en ergothérapie un travail d'été et des bourses d'études pour les inciter à revenir y travailler à la fin de leurs études. C'est ainsi que Mirto Simoneau et Francine Drouin, ergothérapeutes récemment diplômées, sont embauchées à l'automne 1969.

L'ergothérapie se développe aussi dans les unités de psychiatrie des hôpitaux généraux au début des années 1960. En 1963, deux ergothérapeutes, Huguette Chartrand et Renée O'Dwyer, mettent en place le service d'ergothérapie en psychiatrie à l'Hôpital Notre-Dame de Montréal. Un an après, Jean-Guy Jobin et Huguette Picard se joignent à elles. Avec la création de l'hôpital de jour, ces ergothérapeutes utilisent leur créativité pour mettre en place un programme « d'activités thérapeutiques ». Au

13. Mois de l'ergothérapie (2010), *Journal Information*, Hôpital Louis-Hippolyte Lafontaine.

cours de cette décennie, l'ergothérapie s'implante dans d'autres hôpitaux grâce au travail de Michèle Dulude à l'Hôpital Maisonneuve-Rosemont et de Lise Bergevin à l'Hôpital Fleury. C'est le cas également à l'Hôpital Charles Le Moyne. En 1967, Ruth Shanah ouvre le premier service d'ergothérapie à l'Hôpital général juif. Avant son arrivée, une monitrice, Sonya Marcu, recourait à des activités artisanales auprès des patients depuis 1956. Madame Marcu devient par la suite ergothérapeute et demeure dans ce milieu pendant plus de 50 ans. En 1968, un autre service d'ergothérapie est créé au Reddy Memorial Hospital[14]. Au Douglas Hospital, Ann Ford, ergothérapeute de Grande-Bretagne, a assumé la direction du service de 1958 à 1970. Dans cette institution, pour le travail en atelier, chaque ergothérapeute est alors jumelée à un moniteur appelé « *craft worker* ». Dans la région de Québec, en 1969, Diane Meredith permet le développement de l'ergothérapie en psychiatrie au Centre hospitalier de l'Université Laval. Elle y travaillera jusqu'en 1972.

Dans les années 1950 et 1960, l'outil privilégié pour l'intervention est l'activité. Les activités choisies visent des habiletés précises comme la coordination, l'amplitude articulaire, la concentration, la motricité fine, l'expression de sentiments. En décembre 1960, on peut lire dans un journal local de Québec : « Dans les ateliers d'ergothérapie, les patients effectuent un travail manuel adapté à chaque cas et destiné à coordonner ou rééduquer les mouvements des muscles (*sic*) tout en distrayant le malade. » L'ergothérapeute fait aussi sa marque dans l'utilisation des activités de la vie quotidienne visant l'indépendance des patients. L'entraînement des activités reliées aux soins corporels se fait dans la chambre du patient. Une cuisine est souvent aménagée dans les locaux du service d'ergothérapie pour des activités domestiques.

Les moniteurs d'atelier sont très présents, particulièrement dans les institutions psychiatriques et les sanatoriums. Alors que ces derniers visent à enseigner au patient une technique, l'ergothérapeute veut évaluer et traiter le patient avec l'activité. La cohabitation moniteur et ergothérapeute n'est pas toujours facile au début, et ce, non seulement à cause de leur vision différente concernant l'utilisation de l'activité, mais aussi parce que certains moniteurs acceptent difficilement d'être dirigés par de jeunes ergothérapeutes.

---

14. Murchison, S., Alleyne, A., Stubley, M. et Salys, S. (1977), Méthodes de travail, *Bulletin*, 2 (4), 12-15.

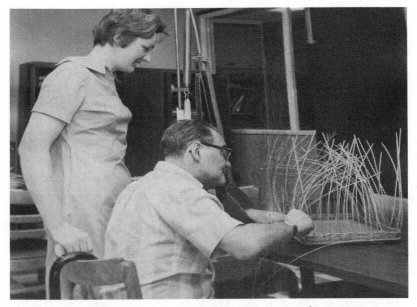

Pour assister un mouvement au membre supérieur, un patient fait un projet de vannerie, en utilisant une écharpe de suspension (archives de l'OEQ)

Miss Colette Dion, occupational therapist helps a patient to tend one of the many potted plants in the roof top garden of the Rehabilitation Centre.

Extrait de la *Montreal Gazette* du 17 août 1962

Quel que soit le domaine de pratique, celle-ci est influencée par différents courants de pensée. En psychiatrie, certains auteurs américains inspirent la pratique des ergothérapeutes. Ainsi, la théorie de Gail Fidler commence à être utilisée en milieu clinique. Cette théorie considère l'ergothérapie comme un processus de communication, axé sur l'action, la signification de l'action et son utilisation pour exprimer des sentiments et des pensées. Elle aborde des thèmes tels que l'environnement humain et non humain, l'analyse d'activité et le processus du *doing*. À l'Hôpital Notre-Dame, une autre approche novatrice, le psychodrame, est utilisée. Les thérapies corporelles sont également intégrées à la pratique des ergothérapeutes dans les années 1960. L'art, de même, grâce à la présence Marie Revai (1956-1976), pionnière de l'art-thérapie au Québec, introduit cette modalité d'intervention au Allan Memorial Institute dès 1956. Pendant plusieurs années, elle fait découvrir aux étudiants du programme d'ergothérapie de l'Université de Montréal les richesses de la thérapie par l'art. Dans le cadre d'une approche psychodynamique, les techniques projectives sont largement utilisées dans les milieux cliniques. Fern Azima, psychologue, et son mari, psychiatre, conçoivent la batterie Azima[15] qui consiste à utiliser divers médias comme la peinture digitale et le dessin afin d'étudier les attitudes, motivations et mécanismes de défense des personnes présentant des problèmes psychiatriques. Fern Azima sera invitée à l'Université de Montréal pendant de nombreuses années pour former les étudiants en ergothérapie à utiliser cette batterie et leur enseigner les théories sous-jacentes aux techniques projectives.

En pédiatrie, des ergothérapeutes s'appuient sur les théories du développement d'Arnold Gisel pour l'évaluation et le traitement des enfants atteints de paralysie cérébrale. Au cours des années 1960, Jean Ayres, ergothérapeute américaine, bâtit sa théorie d'intégration sensorielle, selon laquelle l'apprentissage est une habileté du cerveau à filtrer, organiser et intégrer la masse des informations sensorielles. Cette approche commence à faire des adeptes en ergothérapie. La batterie Vulpe, élaborée en 1969 par Shirley Vulpe, ergothérapeute au Montreal Children's Hospital, a pour but d'évaluer le développement de l'enfant de la naissance à six ans.

15. Azima, H. et Azima, F. J. (1959), Outline of a dynamic of Occupational Therapy, *American Journal of Occupational Therapy*, 13 (5), 215-221.

En pédopsychiatrie, l'ergothérapeute québécois subit davantage l'influence britannique que l'influence américaine[16] quand il tente de trouver une démarche propre à l'ergothérapie qui soit compatible avec l'approche psychodynamique. L'évaluation se fait souvent par une observation du jeu libre de l'enfant.

En médecine physique, les ergothérapeutes ont à leur disposition quelques instruments de mesure, particulièrement pour les membres supérieurs : dynamomètre, goniomètre, tests de dextérité et bilan musculaire. Ils intègrent des principes de biomécanique pour rééduquer un mouvement précis sans toutefois parler à cette époque de modèle biomécanique. Les ergothérapeutes font montre de beaucoup d'imagination pour adapter l'équipement. À titre d'exemple, mentionnons la bicyclette qui actionne une scie sauteuse afin d'augmenter l'amplitude et la force des membres inférieurs. Également, pour développer la tolérance en station debout ou lors de l'entraînement à l'utilisation d'une prothèse au membre inférieur, on demande au patient de répartir son poids sur deux pèse-personnes. Une bonne répartition du poids entraîne soit le déclenchement de la radio ou d'une musique. Cette méthode est remplacée dans les années 2000 par la plateforme d'équilibre WII.

Par ailleurs, pour évaluer les activités de la vie quotidienne (AVQ), plusieurs grilles sont établies dans des services d'ergothérapie ; certaines mettent l'accent sur les soins personnels et d'autres, sur les activités de la vie domestique (AVD). Au début des années 1960, Jeannette Hutchison, ergothérapeute à l'IRM, réalise une première échelle d'indépendance pour les AVQ et les AVD[17]. Cette échelle sert de point de référence pour la formation des étudiants en ergothérapie pendant de nombreuses années.

Les thérapeutes doivent aussi trouver des moyens pour compenser les difficultés observées dans les activités de la vie quotidienne. On commence alors à intégrer les aides techniques (qu'on appelait alors « adaptations ») et les orthèses dans la thérapie. Comme il y a peu de fabricants au Québec, il est parfois demandé au père d'un enfant ou à un patient de

16. Ferland, F., Saint-Jean, M. et Weiss-Lambrou, R. (1984), L'ergothérapie auprès de l'enfant au Québec : d'hier à aujourd'hui, *Revue canadienne d'ergothérapie*, 51 (4), 192-196.
17. Archives des auteures, *Échelle d'indépendance pour les activités de la vie quotidienne*, Préparé par Jeannette Hutchison, service d'ergothérapie, Institut de réhabilitation de Montréal, 1965.

fabriquer l'adaptation requise. Les ergothérapeutes doivent être très créatifs, car les matériaux mis à leur disposition se limitent au bois, au métal et au plexiglas. On est loin des thermoplastiques et des adaptations commandées sur internet.

Les conditions de travail

Dans les années 1960, il n'y a aucun barème pour déterminer le salaire des ergothérapeutes, qui varie d'un milieu à un autre. À titre d'exemple, en 1967 pour un même type de travail, un ergothérapeute touche un salaire de 2 800 $ par année, alors qu'un collègue diplômé de la même année, a un salaire annuel de 3 800 $.

À cette époque, les ergothérapeutes doivent poinçonner à l'arrivée et au départ du travail. Ce système indique avec précision le nombre d'heures de présence de l'ergothérapeute ; le moindre retard est noté. Comme le personnel en ergothérapie est majoritairement féminin et qu'il y a pénurie d'ergothérapeutes, les chefs de service ont la hantise qu'une de leurs ergothérapeutes annonce qu'elle est enceinte, ce qui signifierait être privé de ses services pendant quelques mois. Précisons qu'à cette époque, il n'existait aucun congé de maternité payé. Les employées prenaient parfois trois mois de congé alors que d'autres ne se permettaient qu'un seul mois ; par contre, de nombreuses autres ne revenaient pas au travail après l'accouchement. Pas étonnant de constater alors un grand roulement de personnel.

Salaire des ergothérapeutes en 1969 : 175,58$ pour 70 heures de travail

Uniforme des ergothérapeutes au Queen Mary Veteran's Hospital dans les années 1950. On reconnaît, entre autres, dans la première rangée, Nancy Milne, à l'extrême gauche, et Andrée Forget, la deuxième à droite ; dans la deuxième rangée, à l'extrême gauche, Mary Hamilton, chef de service, et la secrétaire, Madeleine Bleau, à l'extrême droite. (Archives d'Andrée Forget)

Pendant longtemps, les locaux des services d'ergothérapie ont été exigus et souvent situés au sous-sol. On les trouve aussi dans des endroits assez inusités : un coin de chapelle, une ancienne chambre de patients, à l'arrière d'une cafétéria (Hôpital du Sacré-Cœur) et même à côté de la morgue (Hôpital Laval). À cette époque, les ergothérapeutes avaient rarement un bureau pour rédiger leurs rapports ; quand c'était le cas, celui-ci était situé dans la salle de thérapie.

Dans les années 1950, les « thérapeutes d'occupation » portent un uniforme blanc avec une coiffe, semblable à celui des infirmières. Mais dans les années 1960, l'uniforme varie d'un milieu à un autre. Certaines portent la jupe-culotte qui peut être verte, jaune ou bleue selon les milieux. D'autres ergothérapeutes dessinent et cousent elles-mêmes leur uniforme comme c'est le cas à l'Hôpital Royal Victoria, où les ergothérapeutes portent une tunique sur un pantalon. Au CRCL, les thérapeutes d'occupation portent une robe vert sombre avec col blanc, ceinture brune et coiffe blanche avec un ruban vert sombre. Cet uniforme est remplacé ultérieurement par une robe bleu pâle. Les ergothérapeutes travaillant en psychiatrie optent pour un sarrau blanc. Toutefois, la blouse d'artiste se substitue au sarrau dans la foulée de l'abandon de l'uniforme pour tous les professionnels en psychiatrie.

Les années 1970 et 1980 : des années charnières

Les décennies 1970 et 1980 sont déterminantes pour la croissance et la reconnaissance de la profession. Plusieurs éléments y contribuent.

Des faits marquants

Dans les années 1970, la croissance de la profession est liée à plusieurs éléments : 1) l'adoption de la *Loi sur l'assurance maladie* (1970) qui assure la gratuité des services ; 2) l'adoption de la *Loi sur les services de santé et services sociaux* (1971) qui entraîne, entre autres, une redéfinition des missions des établissements (18 établissements sur 150 deviennent des centres de réadaptation pour personnes handicapées physiques) ; et 3) le rapport *Opération Sciences de la Santé* (1976), lequel prévoit l'expansion des services vers les milieux communautaires. Ces divers éléments génèrent de nouveaux besoins et une augmentation de la clientèle adressée en ergothérapie.

La création d'organismes tels que la Commission de la santé et sécurité au travail (CSST) (1979), la Régie de l'assurance automobile du Québec (1979), qui devient la Société de l'assurance automobile (SAAQ) (1990), et l'Office des personnes handicapées du Québec (OPHQ) (1978), incite les ergothérapeutes à développer de nouvelles expertises, entre autres l'évaluation des capacités de travail, la conduite automobile et les aides techniques.

Dans les années 1970, le *Code des professions* reconnaît l'ergothérapie comme une profession autonome. Cependant, la spécificité de la profession n'est pas encore bien définie. Dans une vision simpliste, on identifie souvent l'ergothérapie au traitement des membres supérieurs et la physiothérapie, à celui des membres inférieurs. Au début des années 1980, selon la présidente de la Corporation professionnelle des ergothérapeutes du Québec (CPEQ) d'alors, Lise Petitclerc : « La démarche d'identité, nous l'avons assumée, mais notre profession se retrouve face à un autre questionnement : généraliste ou spécialiste ? » Dans le but de faire avancer la réflexion des ergothérapeutes, le IVe congrès de la CPEQ, tenu à Montréal en octobre 1985, retient ce thème.

Deux rapports publiés par l'Association canadienne des ergothérapeutes (ACE) deviennent de précieux outils pour la pratique de l'ergothérapie : *Les lignes directrices relatives à la pratique de l'ergothérapie axée sur le client* (1983) et *Les lignes directrices régissant l'intervention des ergothérapeutes axée sur le client* (1986). Ils reçoivent l'appui de l'organisme professionnel.

Cette période est très favorable à la croissance de la profession. Le nombre d'ergothérapeutes au Québec augmente d'ailleurs de façon importante, passant de 193 membres en 1973 à 1 189 membres en 1989. Malheureusement, même si les effectifs en ergothérapie ont augmenté, on note toujours dans le réseau une insuffisance de ressources dans la pratique.

Commentaire sur la profession

L'ergothérapie est peut-être la profession de la santé qui a le plus évolué au cours des 25 dernières années. J'ai connu l'ergothérapie alors qu'elle était quasi synonyme d'artisanat. Depuis (...), l'ergothérapie a subi et s'est imposé des changements qui l'ont modifiée profondément.

Gingras, G. (1975), *Combats pour la survie*, Paris, Éditions Robert Laffont, p. 178.

Le travail des ergothérapeutes

À compter des années 1970, l'ergothérapeute développe son expertise dans de nouveaux milieux et rejoint de nouvelles clientèles : personnes âgées, enfants et adultes handicapés sensoriels, brûlés, nouveau-nés à risque, enfants trisomiques, personnes avec déficience intellectuelle. Le développement des services d'ergothérapie se poursuit dans les divers secteurs d'activités. Le registre officiel de 1976 de la CPEQ identifie ainsi le nombre de milieux offrant des services d'ergothérapie : en psychiatrie, 33 ; en pédiatrie, 24 ; en pédopsychiatrie, 15 ; et en médecine physique adulte, 33. Au début de la décennie 1980, de nouveaux centres de réadaptation sont créés dans différentes régions du Québec et attirent un grand nombre d'ergothérapeutes. C'est le cas du Centre de réadaptation La Maison, en Abitibi en 1980, du Centre de réadaptation Le Bouclier dans Lanaudière et dans les Laurentides en 1981, du Centre régional de réadaptation La RessourSe dans l'Outaouais en 1983, et enfin du Centre de réadaptation Estrie en 1984.

Dans la région de Québec, le Centre François-Charon devient un centre hospitalier en 1974, desservant toutes les clientèles de l'est du Québec ayant besoin de réadaptation. Le premier programme de réadaptation professionnelle y est mis sur pied par les ergothérapeutes Francine Gagnon, Gabriel Cabanne et Solange Beaupré. Étant le seul centre situé dans l'est, ses ergothérapeutes offrent leur soutien aux ergothérapeutes des autres régions, par des formations et des stages en cours d'emploi. Ce centre compte 16 ergothérapeutes en 1981-1982[18] et 107 en 2010.

Dans la région de Montréal, le Centre de réadaptation Lucie-Bruneau (CRLB) voit le jour après une fusion du Centre de réadaptation du Québec (pavillon Laurier) et de la Maison Lucie-Bruneau acquise par le gouvernement en 1978. Ce nouveau centre repose sur la vision de Lucie Bruneau, considérée comme une femme avant-gardiste qui revendique le droit pour les personnes handicapées de bénéficier d'une vie pleine et entière, que ce soit au travail, dans les loisirs ou pour l'hébergement[19]. Les ergothérapeutes qui y travaillent contribuent à respecter cette philosophie par des projets facilitant la reprise des rôles des personnes dans leur milieu.

Après avoir apporté son soutien au développement de l'ergothérapie en santé mentale à l'Hôpital Louis-Hippolyte Lafontaine, le Dr Denis Lazure, psychiatre, souhaite que des ergothérapeutes soignent les personnes qui séjournent en psychiatrie et présentent des problèmes physiques. Ainsi, en août 1975, Claudette Gibeau et Michèle Héroux-Lafrenière sont embauchées à cet effet. Un peu plus tard, un premier poste en ergothérapie est ouvert à l'Hôpital Saint-Michel-Archange en médecine physique, à la suite des demandes répétées de la part d'une physiothérapeute, Lise Émond, qui y est chef de division[20].

Ce n'est que vers la fin de la décennie 1970 que l'ergothérapie auprès des personnes âgées est présente dans une variété de milieux: hôpitaux, foyers, centres d'accueil, hôpitaux de jour, centres de jour, CLSC et même au sein de congrégations religieuses. En dehors des grands centres, les premiers postes sont souvent pourvus par des étudiants finissants. Tâche difficile pour ces nouveaux ergothérapeutes, d'autant plus que la formation

18. Répertoires des membres de la CPEQ, 1981-1982.
19. www.luciebruneau.qc.ca
20. Bonne retraite à une grande dame de la réadaptation, *Ergothérapie express*, 2005, 15 (3), 3.

relative à cette clientèle dans les années 1970 est très restreinte ; à titre d'exemple, seulement trois heures de cours en gériatrie sont offertes à l'Université de Montréal[21].

Toutefois, l'évolution de l'ergothérapie auprès des personnes âgées au début des années 1980 est prodigieuse. Alors qu'en 1976 on dénombre seulement 2 milieux offrant des services d'ergothérapie à cette clientèle, il y en a 79 en 1983-1984. Dans la région de Montréal, les premiers ergo-thérapeutes œuvrant en gériatrie se trouvent, entre autres, au Centre hospitalier St-Georges, à l'Hôpital Jacques-Viger, au Centre hospitalier Côte-des-Neiges, à l'Hôpital J.-H.-Charbonneau et à l'Hôpital Notre-Dame-de-la-Merci. Dans d'autres régions, c'est grâce à des pionnières comme Raymonde Boislard, chef en ergothérapie au Centre hospitalier Cooke de Trois-Rivières, que des postes sont créés pour des ergothéra-peutes en gériatrie. En Estrie, les ergothérapeutes qui travaillent avec cette clientèle se trouvent principalement au Foyer St-Joseph et à l'Hôpital D'Youville, qui devient l'Institut universitaire de gériatrie de Sherbrooke en 1996.

Graduellement, dans ce secteur d'activité, on distingue l'ergothérapie en *gériatrie* (traitant des patients atteints de la maladie de Parkinson, de sclérose en plaques, de maladies rhumatismales ou ayant subi un accident vasculaire cérébral), de l'ergothérapie en *psychiatrie gériatrique* (qui concerne les problèmes psychiatriques, tels que la dépression ou un désordre affectif), de l'ergothérapie en *psychogériatrie* (pour les problèmes découlant de problèmes organiques causés par le vieillissement, tels que la démence). Quel que soit le secteur d'activité spécifique, l'approche globale de la personne âgée est préconisée par les ergothérapeutes.

Dans les grandes institutions psychiatriques, la psychiatrie gériatrique voit le jour à la même période. Dans la région de Montréal, c'est le cas à l'Hôpital Sainte-Anne-de-Bellevue, à l'Hôpital Louis-Hippolyte Lafontaine et à l'Hôpital Douglas. Un premier poste est occupé en 1981 par Sylvain Beaudoin à l'Hôpital Louis-H. Lafontaine. À la même période, à l'Hôpital Douglas, des programmes sont mis en place pour cette clientèle et Hélène Laberge, ergothérapeute, y travaille pendant plus de 25 ans. Dans la région de Québec, un premier poste en ergothérapie est ouvert en psychiatrie gériatrique à l'Hôpital Saint-Michel-Archange en 1986.

21. Bérubé, C. et Therriault, P.-Y. (1982), Réflexion, *Le Transfert*, 6 (1), 12-13.

Dans les années 1970, les ergothérapeutes s'occupent d'une nouvelle clientèle : les personnes présentant des déficiences visuelles et auditives[22], et ce, tant dans la région de Montréal que de Québec. La Montreal Association for the Blind (MAB) recrute en 1976 deux ergothérapeutes : Flavia Pozzebon et Lise Lord. Au cours de la première année, celles-ci ont pour mandat d'identifier les aides techniques devant être remboursées par la RAMQ. À la même époque, l'Institut Nazareth et Louis-Braille (INLB) recrute Joanne Thibodeau, qui y travaille encore aujourd'hui. Au début, le mandat de l'INLB est suprarégional. Joanne Thibodeau fait ses interventions à domicile. Dans la région de Québec, en 1976, le Centre Louis-Hébert ajoute le volet réadaptation pour les enfants, et, par la suite, pour les adultes et les aînés présentant une déficience visuelle. Les deux premières ergothérapeutes à y travailler, Nicole Turcotte et Lynn Lecours, ont été formées par l'équipe de la MAB. Les ergothérapeutes des régions de Montréal et de Québec mettent en commun leur expertise pour adapter le matériel d'intervention pour cette clientèle. Plusieurs nouveaux programmes font leur apparition au début des années 1980 avec l'implantation de nouveaux centres de réadaptation, comme Le Bouclier.

Dans les années 1970, des ergothérapeutes interviennent auprès de la clientèle présentant une déficience auditive. Ainsi, dans la région de Québec, Denise Mattern et Luce Drouin figurent parmi les premières ergothérapeutes à offrir des services à l'Institut des sourds de Charlesbourg. Leur clientèle, âgée de 0 à 21 ans, est très variée : entre autres, enfants présentant une surdité à la naissance et dont les parents sont sourds, adolescents malentendants à la suite d'une méningite.

Les personnes ayant une déficience intellectuelle se retrouvent principalement dans les institutions psychiatriques et présentent souvent de multiples handicaps importants. Francine Savaria travaille de 1978 à 1991 avec cette clientèle à l'Hôpital Louis-Hippolyte Lafontaine. Elle est l'instigatrice d'un programme d'intégration au travail de personnes multihandicapées.

Vers la fin des années 1970, le nombre d'ergothérapeutes est limité dans plusieurs régions du Québec. Toutefois, il augmente de façon importante vers la fin des années 1980, comme l'illustre le tableau suivant.

---

22. À l'époque, cette clientèle était désignée sous le vocable *aveugles et sourds*.

TABLEAU 1

Nombre d'ergothérapeutes selon les régions pour deux périodes :
1979-1980 et 1989-1990

Régions	1979-1980	1989-1990
Bas-Saint-Laurent–Gaspésie	5	13
Saguenay–Lac-Saint-Jean	6	23
Québec	50	198
Trois-Rivières	17	57
Estrie	5	34
Montréal	268	635
Laurentides–Lanaudière	4	71
Sud de Montréal	26	84
Outaouais	2	25
Nord-Ouest du Québec	4	11
Côte-Nord	1	4
Nouveau-Québec	0	0
Total (membres inscrits au tableau OEQ)	388	1189

Source : Rapports annuels de la CPEQ.

Par contre, les effectifs sont encore très réduits sur la Côte-Nord et totalement absents dans le Nouveau-Québec. Sur la Côte-Nord, Claire Landry est la première ergothérapeute à offrir des services dès 1977, dans un centre d'accueil pour déficients mentaux à Baie-Comeau. Elle doit aussi offrir des services à cette clientèle aux centres de jour situés à Sept-Îles, Forestville, Les Escoumins et Port-Cartier. De 1980 à 1983, elle développe l'ergothérapie pour les enfants de 0 à 5 ans présentant un retard de développement. Elle met en place le service de médecine physique à l'Hôpital de Baie-Comeau. Afin de mieux faire connaître l'ergothérapie, elle s'implique auprès d'organismes communautaires de la région. Comme elle nous l'a dit :

> J'ai participé aux tables régionales de concertation sur la prévention, le dépistage et le diagnostic en regard de l'intégration scolaire. Pour susciter les références, j'ai rencontré les médecins de la région pour leur expliquer ce qu'est l'ergothérapie et les services offerts.

En 1988, la région de Port-Cartier peut compter à nouveau sur les services d'une ergothérapeute, Louise-Andrée Canuel.

Dans la région de la Gaspésie, au début des années 1970, Nicole O'Dowd, ergothérapeute, occupe un poste au Sanatorium Ross de Gaspé, tout en offrant des services à une clientèle pédiatrique à l'Hôpital de l'Hôtel-Dieu. Au Sanatorium Ross, la clientèle (déficience intellectuelle, schizophrénie) provient de l'Hôpital Saint-Michel-Archange de Québec. Des moniteurs spécialistes de différentes techniques artisanales l'assistent dans son travail. L'intégration sociale des patients se fait par un entraînement à l'intérieur même de l'institution par le travail à la buanderie, à la cuisine et à l'entretien ménager. Les patients sont rémunérés 20 $ par semaine.

En Outaouais, il faudra attendre le milieu des années 1980 pour un développement plus significatif qui se fera au Centre hospitalier Pierre-Janet, à l'Hôpital de Gatineau, au Centre hospitalier régional de l'Outaouais, au Centre de réadaptation La RessourSe et à l'Hôpital de Hull.

Dans la région de Trois-Rivières, l'ergothérapie en médecine physique prend réellement de l'expansion à compter de 1975, et ce, grâce à la contribution de plusieurs pionnières. Mentionnons de nouveau Raymonde Boislard et Nicole O'Dowd. Cette dernière met sur pied un service d'attribution, de récupération et de réattribution des aides techniques. Chantal Pinard collabore à l'implantation de plusieurs programmes : soins de longue durée, maintien à domicile, soutien à domicile, prévention des chutes. Au Saguenay–Lac-Saint-Jean, les premières ergothérapeutes à offrir des services en psychiatrie sont Danielle Vézina et Line St-Amour, en 1978, à l'Institut Roland-Saucier. Quant à la région de l'Estrie, Françoise Decherf, ergothérapeute française, implante le premier service d'ergothérapie en psychiatrie en 1970 à l'Hôpital Saint-Vincent-de-Paul et, la même année, Angèle Guertin met sur pied l'ergothérapie en médecine physique à l'Hôpital D'Youville, où Germain Lambert assurera la direction du service d'ergothérapie pendant 25 ans. La région de Sherbrooke connaît un essor de plus en plus important dans les années 1980. En effet, 18 ergothérapeutes y travaillent en 1983 dans la plupart des secteurs d'activités : milieu hospitalier, milieu scolaire, gériatrie, pédiatrie, évaluation préprofessionnelle, maintien à domicile, psychiatrie adulte et pédopsychiatrie[23].

Dans le nord-ouest du Québec, l'ergothérapie se développe particulièrement en psychiatrie dans les années 1970 : au Centre hospitalier Hôtel-Dieu d'Amos, au Centre hospitalier Rouyn-Noranda et à l'Hôpital

---

23. En Estrie, ça bouge !, *Le Transfert*, 7 (2), 17, 1983.

Saint-Sauveur de Val-d'Or[24]. En 1987, Julie Desjardins commence à travailler à la Baie-James, plus précisément à l'Hôpital de Chibougamau. Les patients qui lui sont confiés proviennent des centres miniers et forestiers, et présentent des atteintes du système musculo-squelettique. Très rapidement, elle devient chef de service (ergothérapie et physiothérapie) et occupe par la suite des postes administratifs importants dans la région : agente à la planification pour le nord du Québec et directrice générale par intérim du Centre régional de santé et de services sociaux (CRSSS) de la Baie-James.

Selon les commentaires recueillis en entrevue auprès de plusieurs ergothérapeutes, le travail en région demande de la créativité et de la polyvalence pour faire face à de nombreux défis. Avant tout, il faut faire connaître l'ergothérapie et tout est à bâtir. La clientèle est variée et, dans plusieurs régions, le territoire est immense. Comme il y a peu de ressources au début, ces ergothérapeutes doivent effectuer des tâches multiples : réparer un fauteuil roulant, fabriquer une aide technique, concevoir et fabriquer le matériel thérapeutique.

Cette période est marquée par une évolution de notre média, l'activité, avec l'apparition de nouveaux courants de pensée dans la pratique, l'appropriation de nouveaux outils d'évaluation et l'exploration de nouvelles modalités de traitement.

Durant les décennies 1970 et 1980, on tente de redéfinir le concept d'activité. On commence à parler de l'activité avec but (*purposeful*) et, un peu plus tard, de l'activité significative, soit l'activité qui a un sens particulier pour la personne (*meaningful*). Même si le concept d'activité évolue, la spécificité de la profession n'est pas toujours bien comprise au sein des équipes et les ergothérapeutes doivent expliquer et répéter à maintes reprises leurs rôles.

Cette insécurité quant à l'utilisation de l'activité à des fins thérapeutiques est ainsi expliquée par Anne Lang-Étienne :

> Notre insécurité foncière a de multiples origines ; l'une provient sans nul doute du manque de vernis scientifique de notre outil thérapeutique. Les autres professionnels avec qui nous faisons équipe utilisent, nous semble-t-il, des moyens dont la sophistication croît au rythme des connaissances théoriques et technologiques de notre siècle. Nous, ergothérapeutes, avons essen-

---

24. Registre officiel de la CPEQ, 1976.

tiellement à notre disposition les activités ordinaires, banales, routinières de la vie quotidienne; pis encore, ces activités, nous les prescrivons avec une bonne dose d'intuition. Or, l'intuition passe pour une hérésie dans le domaine des sciences exactes... L'insuffisance ne réside pas dans la pauvreté de notre outil, mais dans sa méconnaissance[25].

Cette insécurité amène des ergothérapeutes non seulement à s'éloigner des activités artisanales, mais également à adopter des outils d'évaluation provenant d'autres disciplines. Andrea Blanar, ergothérapeute, se questionne d'ailleurs à ce sujet: « Était-ce par insécurité ou pour se donner du prestige? » Pour découvrir la richesse de notre outil thérapeutique, quelques études seront entreprises dans les années subséquentes. Mais cela est une autre histoire que nous raconterons dans le chapitre sur la recherche.

Au cours de la décennie 1970, même si l'approche psychodynamique est encore privilégiée en psychiatrie, le modèle acquisitionnel qui s'apparente à une approche comportementale et qui est issu des travaux d'Anne Cronin Mosey, ergothérapeute américaine, est adopté dans plusieurs milieux[26]. Ce modèle se définit comme une approche psychosociale orientée vers l'action et basée sur l'acquisition d'habiletés et la compréhension de soi. Le traitement individualisé est avant tout privilégié et, selon ses besoins, le patient peut être aussi assigné à une thérapie de groupe, entre autres dans un but de socialisation, d'expression de sentiments, de retour au travail[27].

En pédiatrie, une enquête menée en 1985 auprès de 122 ergothérapeutes nous apprend que parmi les approches les plus fréquemment utilisées, on trouve l'approche globale de développement (81,0 %), la stimulation sensorielle (63,4 %), l'approche neurodéveloppementale des Bobath (Berta Bobath, physiothérapeute, et Karel Bobath, psychiatre/neurophysiologiste, d'Angleterre) (53,4 %), l'approche de réadaptation (39,3 %) et l'approche d'intégration sensorielle de Jean Ayres (36,4 %)[28]. Notons que l'approche neurodévelop-

25. Lang-Étienne, A. (1983), L'ergothérapie et nous – les vertus du ravaudage, *Le Transfert*, 7 (4), 12.

26. Hachey, R., Bougie, C., Ladouceur, D., Morin, C. et Phaneuf, C. (1981), La thérapie de l'Activité de A. C. Mosey, *Santé mentale au Québec*, 6 (1), 45-61.

27. Dulude, M., Hector, M., Leroux, A.-M. et Archambault, C. (1976), *Bulletin*, 1 (5), 14-16.

28. Ferland, F., Lambert, F., Saint-Jean, M. et Weiss-Lambrou, R. (1987), L'ergothérapie et l'enfant: description de la pratique québécoise, *Canadian Journal of Occupational Therapy*, 54 (3), 125-131.

pementale des Bobath s'appuie sur des bases neurophysiologiques de facilitation et d'inhibition. Cette technique a été conçue pour le traitement des enfants présentant une paralysie cérébrale et des adultes ayant des troubles neurologiques. L'approche d'intégration sensorielle de Jean Ayres est de plus en plus adoptée par les ergothérapeutes. Il faut toutefois suivre une formation pour en administrer la batterie d'évaluation. L'enquête révèle aussi que les évaluations le plus souvent utilisées sont l'observation du jeu libre, le Beery « Developmental Test of Visual Motor Integration », le Frostig « Developmental Test of Visual Perception », les observations cliniques de Jean Ayres et la batterie Talbot élaborée au cours des années 1970 par Gisèle Talbot, ergothérapeute à l'Hôpital Sainte-Justine. Cette dernière nous explique : « Ce que je voulais faire, c'était d'élaborer un outil qui évalue les progrès, si minimes soient-ils (…) mais, aussi, qui permette de voir de façon longitudinale les progrès reliés aux habiletés motrices et perceptuelles. »

Toujours dans les années 1970, les ergothérapeutes qui travaillent en médecine physique adulte se familiarisent avec diverses techniques neuromotrices pour le traitement de l'hémiplégie. Tout comme en pédiatrie, les ergothérapeutes explorent l'approche neurodéveloppementale élaborée par Bertha et Karel Bobath. Sont aussi expérimentées avec la clientèle neurologique, la méthode de Margaret Rood qui consiste à inhiber le tonus musculaire par des stimulations sensitives et une autre approche issue des bases de la neurophysiologie, soit celle de Brunnstrom, où la récupération motrice se fait selon une séquence prédéterminée. La rétroaction biologique est aussi expérimentée pour différentes problématiques en médecine physique.

Alors que les ergothérapeutes considèrent les fonctions sensorimotrices dans le cadre des approches ci-haut mentionnées, les fonctions cognitives et perceptives commencent à susciter de plus en plus d'intérêt dans les années 1970 et ce, d'autant plus qu'à cette époque, il y a rarement des neuropsychologues dans les équipes de soins. Comme la formation dans ce domaine est encore limitée, un groupe s'intéressant à la problématique de l'évaluation de la perception auprès de l'adulte voit le jour en 1976[29]. Des batteries deviennent très populaires au cours de cette période pour évaluer les déficits perceptifs entravant la réalisation des AVQ : The

29. Groupe d'étude de Montréal sur la perception adulte, *Le Bulletin*, 1 (2), 22-25, 1976.

Ontario Society of Occupational Therapists Study Group on the Brain-Damaged Adult, dont la première version est connue sous le nom du « test de Fisher » ; quelques années plus tard, la Chessington Occupational Therapy Neurological Assessment Battery (COTNAB), élaborée au Royaume-Uni par des ergothérapeutes, gagne en popularité et fait l'objet d'une traduction et d'une adaptation française par un groupe d'ergothérapeutes de l'IRM et de l'Hôpital Marie-Enfant[30].

Les différentes approches toujours utilisées ne favorisent pas une vision globale du patient. C'est alors qu'au début des années 1980, les ergothérapeutes s'intéressent à deux modèles génériques : le modèle de l'occupation humaine, élaboré par un ergothérapeute américain, Gary Kielhofner, et le modèle canadien du rendement occupationnel, conçu par un groupe d'ergothérapeutes mandaté par l'ACE. Le modèle de l'occupation humaine considère la personne comme un système ouvert en constante interrelation avec son environnement dans son comportement occupationnel, c'est-à-dire ses activités de soins personnels, de travail et de loisir. Le modèle fait surtout des adeptes auprès des ergothérapeutes travaillant en psychiatrie.

Quant au modèle canadien de rendement occupationnel, il fait référence à la :

> Capacité d'une personne de choisir, d'organiser et de s'adonner à des occupations significatives qui lui procurent de la satisfaction. Ces occupations, définies sur le plan culturel et correspondant à son groupe d'âge, lui permettent de prendre soin d'elle, de se divertir et de contribuer à l'édifice social et économique de la communauté[31].

Ce modèle deviendra le référentiel pour la tenue de dossiers dans la décennie subséquente. Les ergothérapeutes utilisent ces deux modèles, occupation humaine et rendement occupationnel, pour se redéfinir au sein des équipes et se recentrer sur la richesse de l'activité comme outil d'évaluation et d'intervention. Selon René Bélanger, ergothérapeute à l'Hôtel-Dieu de Lévis, « le modèle d'occupation humaine devient un outil fort utile pour rehausser la crédibilité des ergothérapeutes auprès des administrateurs ».

---

30. Labelle, J. et McDonald, F. (1989), Le « Chessington occupational therapy neurological assessment battery » : Revue et critique, *Le Transfert*, 13 (4), 26.
31. Association canadienne des ergothérapeutes (1986), *Lignes directrices régissant l'intervention des ergothérapeutes axée sur le client*, Toronto, CAOT/ACE Publications.

Dans les mêmes années, les ergothérapeutes se familiarisent avec la Classification internationale des déficiences, incapacités et handicaps (CIDIH) publiée en 1980 par l'Organisation mondiale de la Santé. Trois concepts sont à la base de cette classification : déficiences, incapacités et handicaps. Les ergothérapeutes de l'IRM jouent un rôle clé pour implanter ce cadre de référence pour la rédaction des rapports de tous les membres de l'équipe et pour la formulation des objectifs.

Avant que le secteur d'activité de la gériatrie ne se développe, les ergothérapeutes se rallient aux modèles élaborés en médecine physique et explorent l'application du modèle de l'occupation humaine à une clientèle en soins prolongés[32]. D'autres modalités de traitement sont aussi appliquées à la clientèle âgée : intégration sensorimotrice, stimulation/déprivation, groupe d'éveil, groupe de cuisine, aménagement thérapeutique.

Quel que soit le secteur d'activité, cette période est marquée par la prédominance d'évaluations faites avec des outils maison. Toutefois, l'intérêt des ergothérapeutes pour des outils valides est de plus en plus évident.

À la lecture de la revue *Le Transfert* des années 1970 et 1980, force est de constater que de nouvelles activités et modalités de traitement très variées sont explorées : micro-ordinateur, rétroaction biologique, équitation, piscine, positionnement, communication non verbale telle que le Bliss, thérapies corporelles, théâtre, jeu de rôle, mime et expression dramatique, musique, photographie, tarot, horticulture et zoothérapie.

Dans les années 1970, la conception des aides techniques se fait dans certains milieux en collaboration avec un technicien. Lorsqu'il n'y a pas de technicien ni d'orthésiste dans l'établissement, non seulement la conception, mais aussi la fabrication d'aides techniques occupent une place importante dans la pratique de l'ergothérapeute. Comme la plupart des aides techniques conçues par les ergothérapeutes sont uniques et ne se retrouvent pas dans les catalogues de fournisseurs, les ergothérapeutes se mobilisent pour mettre en commun leur expertise. Une chronique sur les aides techniques intitulée « Échanges d'idées » est publiée dans *Le Transfert* à compter de 1985. Au cours de la décennie 1980, des ergothérapeutes prennent aussi l'initiative de publier des livres illustrant différentes aides techniques conçues au cours de leur pratique. C'est le cas

32. Harnois, M. (1986), Philosophie et rôle de l'ergothérapeute à l'unité de soins prolongés, *Le Transfert*, 10 (2), 9-11.

d'ergothérapeutes du Centre François-Charon[33], de l'IRM[34] et de l'Hôpital Marie-Enfant[35]. Vers la fin des années 1980, les ergothérapeutes commencent à jouer un rôle de plus en plus important dans le domaine des aides techniques. De fabricant, l'ergothérapeute devient un évaluateur et un consultant.

Le Centre régional d'information, de démonstration et d'évaluation des aides techniques (CRIDEAT)

En 1985, sous l'initiative des directeurs généraux de l'Institut de réadaptation de Montréal (IRM), MM. Jean-Pierre Montpetit et Daniel Adams, le Centre régional d'information, de démonstration et d'évaluation des aides techniques voit le jour dans le but de faire le lien entre le fabricant, le distributeur, le patient et l'ergothérapeute. C'est le premier centre à mettre sur pied une banque de données informatisées d'aides techniques. Monique Martin, ergothérapeute, en est la première responsable. Louise De Serres, une autre ergothérapeute, prend la relève et, depuis 1991, elle y travaille à temps plein.

Avec le développement de nouvelles technologies pour les chirurgies de la main et la venue de nouveaux thermoplastiques pour la conception des orthèses, les ergothérapeutes développent une expertise de plus en plus poussée auprès de cette clientèle dans plusieurs établissements hospitaliers. Un centre ergothérapique de la main est mis sur pied par les ergothérapeutes de l'Hôpital du Sacré-Cœur en 1989. Ceux-ci partagent leur expertise avec les ergothérapeutes de l'extérieur par des consultations, des stages et des formations continues. Ils sont, à ce jour, reconnus comme les chefs de fil provinciaux dans ce domaine[36].

---

33. Bélanger, F., Bergeron, H., Cabanne, G., Côté, B., Poitras, C. et Robitaille, S. (1988), *Apprivoiser le quotidien. Guide pour la fabrication d'une aide technique*, Québec, Les Éditions Papyrus.
34. Martel, S. et Sart, M. de (1988), *Accès-cible*, Montréal, Éditions St-Martin, 194 p.
35. Gauvin, C. et Lefebvre, L. (1990), *Des jeux pour toi. Guide d'adaptation pour enfants avec déficience motrice*, Montréal, Association de paralysie cérébrale du Québec.
36. Daigneault, R. (1990), Centre ergothérapique de la main, *Intercom*, Hôpital du Sacré-Cœur de Montréal, 49, 6.

Une ergothérapeute reçoit l'Ordre du Canada

Elaine May, diplômée de l'Université McGill, devient, en 1976, membre de l'Ordre du Canada. Elle travaille avec le Dr Gingras et œuvre au Centre McKay à Montréal. Elle prend sa retraite en 1980.

Stanstead Journal, mars 2010.

Les conditions de travail

Bien que ce soit en 1965 que la *Loi de la fonction publique* autorise la syndicalisation des professionnelles et professionnels du gouvernement, ce n'est qu'au début des années 1970 que les ergothérapeutes entreprennent des actions pour se donner une structure syndicale. Un comité de salaire et syndicalisation est formé au sein de la Société des ergothérapeutes du Québec et les ergothérapeutes sont invités à former un syndicat des professionnels au sein de leurs établissements, affilié à la Fédération des ingénieurs et cadres du Québec (FICQ).

Avec l'adoption en 1971 de la *Loi du régime de négociations collectives dans les secteurs de l'éducation et des hôpitaux*, qui impose le regroupement des organisations syndicales aux fins de négociation, les ergothérapeutes se joignent au syndicat de la Confédération des syndicats nationaux (CSN). Avec Jean-Guy Rodrigue, président de la FICQ, l'équipe de négociation pour les ergothérapeutes est composée de Micheline Saint-Jean, Hélène Bergeron et Huguette Picard. Cette dernière devient la première agente syndicale libérée et payée par la CSN. Son rôle consiste à faire du recrutement auprès des ergothérapeutes pour qu'ils adhèrent au syndicat.

Pour négocier la première convention collective, les ergothérapeutes font front commun avec les diététistes et les physiothérapeutes. Une première lutte syndicale revendique la parité salariale avec les travailleurs sociaux dont le salaire est le double de celui des ergothérapeutes, alors que leur formation est similaire. Devant le refus catégorique du gouvernement, une grève est déclenchée en 1972 ; elle durera six semaines. Comme les trois groupes en grève sont majoritairement féminins (ergothérapeutes, physiothérapeutes et diététistes), les négociateurs patronaux de l'Association des hôpitaux du Québec (AHQ) utilisent des arguments assez farfelus, à savoir que les maris de ces thérapeutes peuvent les faire vivre et conséquemment, qu'elles n'ont pas vraiment besoin de gros salaires. Un

règlement interviennent malgré tout, satisfaisant les ergothérapeutes qui voient leur salaire presque doublé[37].

Pendant les années 1980, le milieu syndical se voit imposer de nombreuses restrictions. La convention collective en 1982 décrète une réduction de 20 % des salaires sur trois mois et annule l'augmentation prévue pour cette année-là.

En septembre 1987, le Syndicat professionnel des ergothérapeutes du Québec (SPEQ) est mis sur pied ; on est convaincu qu'il va permettre une représentation plus juste et équitable des revendications des membres[38]. En mars 1988, le SPEQ s'affilie en tant que syndicat indépendant à la Centrale des professionnelles et professionnels de la santé (CPS). En 1989, le SPEQ est la première organisation syndicale de cette centrale à déposer une plainte de discrimination salariale à la Commission des droits de la personne. Pour ce dossier, Marie-Claude Raynault s'implique activement et élabore avec l'équipe de travail la première proposition de l'équité salariale pour les ergothérapeutes. À la suite d'une grève menée en septembre 1989, le salaire des ergothérapeutes est désormais comparable à celui des professions à forte proportion masculine comme celle des éducateurs physiques.

Par ailleurs, comme dans les années 1960, très souvent ce sont des ergothérapeutes nouvellement diplômés qui n'hésitent pas à relever le défi de mettre sur pied les premiers services d'ergothérapie en région.

Les ergothérapeutes de cette époque se souviennent très bien de l'instauration des statistiques au début des années 1970. Cette décennie voit aussi apparaître les premières notes de l'ergothérapeute au dossier médical du patient.

Dans les années 1970 et 1980, la formation continue est difficilement accessible aux ergothérapeutes, car les employeurs libèrent peu de cliniciens pour la formation. De plus, le remboursement des frais d'inscription est minime. Pour réduire les frais, les formations sont généralement offertes les fins de semaine. Certains milieux prennent l'initiative d'en organiser à l'interne et aussi de créer un fonds leur permettant de suivre des formations à l'extérieur.

---

37. Entrevue avec Huguette Picard, le 21 septembre 2010.
38. Rapports annuels de la SEQ, 1988-2003.

Les années 1990 et 2000 : de beaux défis à relever

Les réformes du système de santé et de services sociaux, la réforme du système professionnel et de nouvelles exigences de pratique marquent ces deux décennies.

Des faits marquants

Parmi les réformes du système de santé et de services sociaux, on assiste au virage ambulatoire, aux fusions des établissements, à la gestion par programme et à la transformation des services en santé mentale. Comme la durée d'hospitalisation est diminuée et que les cas sont plus lourds, les interventions jadis appliquées sur de longues périodes doivent être repensées. Selon notre sondage effectué auprès des ergothérapeutes membres de l'OEQ, ce changement semble avoir favorisé le développement de services de première ligne, entre autres dans les CLSC. Toutefois, les demandes de services sont plus nombreuses et les besoins, de plus en plus complexes. Notre sondage nous apprend aussi que les ergothérapeutes ont trouvé difficile de s'adapter aux fusions d'établissements et à la gestion par programme, qui ont entraîné respectivement une augmentation de la charge de travail et le démantèlement des groupes de travail et donc, l'abolition des services d'ergothérapie. Ce dernier point a créé un sentiment d'isolement et également un sentiment d'appartenance moindre à leur groupe professionnel.

Avec la gestion par programme, de nouvelles approches sont élaborées misant sur l'interdisciplinarité, ce qui requiert une forte identité professionnelle et des rôles bien définis. L'ergothérapeute doit s'intégrer au sein des équipes et faire valoir sa spécificité pour répondre aux besoins du client. Selon Céline Gaudreault, ergothérapeute à l'IRM, cela présente des points positifs : « L'occasion est belle de devenir l'expert des situations de handicap, d'exercer notre leadership au sein des équipes et de jouer un rôle de premier plan dans le courant de la réadaptation psychosociale. »

À tous ces changements dans le réseau de la santé, s'ajoute une réforme du système professionnel québécois amenant une redéfinition du domaine d'exercice des ergothérapeutes, et ce, en précisant les actes qui leur sont réservés.

Les crises d'identité vécues lors de la précédente période semblent s'atténuer, mais la réflexion sur une pratique de généralistes ou de spécialistes refait à nouveau surface dans les années 1990. Dans son éditorial, la présidente, Françoise Rollin, fait le point sur ce rapport et amène comme hypothèse que ce dilemme n'est peut être qu'apparent[39]. Selon elle :

> L'ergothérapeute demeure et demeurera fondamentalement un généraliste par le fait que, dans son plan de services, il utilise l'activité humaine, comprise dans un sens large, comme une réalité dont l'effet thérapeutique peut être hautement bénéfique. De ce point de vue, le fait de devoir choisir entre l'approche de spécialiste et celle de généraliste constitue un faux problème.

Avec le développement des nouvelles technologies de l'information et de la communication (TIC), telles que le courriel, l'internet, le traitement de texte, les ergothérapeutes doivent aussi s'approprier ces nouveaux outils alors même que leur pratique subit de grands chambardements et que les effectifs sont insuffisants.

La décennie 2000 est marquée par l'importance d'appuyer la pratique ergothérapique sur des données probantes. À compter de 2008, la maîtrise professionnelle devient une condition préalable à l'exercice de la profession. Autant les directeurs des programmes de formation que ceux des milieux cliniques doivent s'ajuster à cette nouvelle réalité.

Le travail des ergothérapeutes

Au cours des deux dernières décennies, les milieux de pratique deviennent de plus en plus diversifiés : services internes et externes, centre de jour, hôpital de jour, milieu communautaire, domicile, école, milieu de travail, services d'aides techniques. Avec l'implantation des programmes-clientèles vers la fin des années 1990, l'ergothérapeute développe une expertise pour de nouvelles clientèles : accidentés de la route, dysphagie, dysphasie, dyspraxie, douleur chronique, fibromyalgie, troubles alimentaires (boulimie, anorexie), troubles anxieux et de l'humeur, troubles déficitaires de l'attention, troubles de coordination chez l'enfant. Dans la région de Québec, les personnes amputées revenant de la guerre en Afghanistan bénéficient des services de l'ergothérapie.

39. Rollin-Gagnon, F. (1993), L'ergothérapie, une pratique de généralistes ou de spécialistes ?, *Revue québécoise d'ergothérapie*, 2 (1), 5-7.

Aussi, le nombre d'ergothérapeutes augmente de façon importante, et ce, dans toutes les régions du Québec. Toutefois, au début des années 1990, on soupçonne une diminution des ergothérapeutes pratiquant en santé mentale. Pour documenter la situation, une enquête est menée par un comité *ad hoc* en santé mentale de l'OEQ auprès des ergothérapeutes œuvrant dans ce secteur d'activité (n = 667)[40]. Les résultats révèlent une diminution du pourcentage d'ergothérapeutes œuvrant dans ce secteur : de 56 % à 41 % de 1990 à 1996. Parmi les facteurs explicatifs de cette baisse, il est mentionné les contraintes budgétaires qui peuvent avoir freiné le développement de nouveaux postes ; la réorganisation des services dans le secteur de la santé, laquelle a favorisé l'implantation de ressources dans la communauté ; et une multiplication d'intervenants en réadaptation psychosociale. Les ergothérapeutes en gériatrie connaissent la situation inverse. Selon les rapports annuels de l'OEQ, de 49 % des ergothérapeutes travaillant dans ce domaine en 1990, on passe à 52 % en 1996. Comme le souligne Sylvie Scurti, ergothérapeute : « Le temps est révolu où l'on pensait qu'un finissant ayant éprouvé des difficultés dans sa formation et dans ses stages serait "réduit" à faire carrière en gériatrie. »

En 2001, dans la région du Saguenay–Lac-Saint-Jean, le Centre de réadaptation en déficience physique (CRDP) « Le Parcours » du Centre de santé et de services sociaux (CSSS) de Jonquière voit le jour. Selon une ergothérapeute, ce centre attire plusieurs ergothérapeutes de la région. André Boivin, ergothérapeute de formation, y occupe actuellement le poste de directeur du Programme-cadre de réadaptation en déficience physique.

De nouveaux postes s'ouvrent pour répondre à la clientèle présentant une déficience auditive avec trouble du langage. C'est le cas à l'Institut Raymond-Dewar à Montréal, qui embauche deux ergothérapeutes en 2002 et six en 2010.

Avec les nombreux changements survenus dans le système de santé au cours de cette période, les ergothérapeutes doivent s'approprier de nouvelles approches et de nouveaux outils. Le travail en interdisciplinarité les oblige à avoir un langage commun tout en conservant leur spécificité.

Qu'en est-il de notre média, l'activité ? Les ergothérapeutes qui ont répondu à notre sondage nous disent que les activités artisanales et

---

40. Morin, C. (1997), Profil des ergothérapeutes en santé mentale : résultats d'une enquête, *Revue québécoise d'ergothérapie*, 6 (3), 97-101.

manuelles, les techniques projectives et corporelles continuent à être de plus en plus délaissées pour cibler davantage les activités quotidiennes, tels les activités domestiques, le travail, les loisirs et le jeu. En santé mentale, les ateliers d'autrefois sont remplacés par des activités dans la communauté.

Le besoin d'avoir de nouveaux outils basés sur une meilleure compréhension de la personne en activité dans son environnement se manifeste plus fortement dans les années 1990. Plusieurs ergothérapeutes suivent la formation du «Assessment of Motor and Process Skills» (AMPS) conçue en 1993 par l'ergothérapeute américaine Anne Fisher. Pour administrer l'outil, une formation est nécessaire. Des équipes québécoises créent aussi de nouveaux outils : le Profil des AVQ, conçu en 1992 par une équipe composée de cliniciens et de chercheurs, sous la responsabilité d'Élisabeth Dutil et d'Andrée Forget, s'adressant plus spécifiquement à la clientèle ayant subi un traumatisme crânien, et l'Évaluation de l'incapacité fonctionnelle dans la démence (IFD), conçu en 1999 par Isabelle Gélinas et Louise Gauthier. Un peu plus tard, un nouvel outil suscite un intérêt, particulièrement auprès des ergothérapeutes travaillant en santé mentale, soit le «Perceive, Recall, Plan and Perform», conçu par une équipe d'ergothérapeutes australienne. Toujours dans les années 1990, on voit arriver un autre outil, la Méthode d'analyse ergonomique des capacités d'un travailleur en relation avec les exigences d'une situation de travail (MAECES),de Pierre-Yves Therriault. À la même période, les ergothérapeutes priorisent les outils basés sur des tâches pour évaluer la fonction du membre supérieur : le TEMPA, de Johanne Desrosiers, est largement répandu dans les milieux cliniques.

Au début des années 1990, deux outils multiclientèles font leur apparition : le Système de mesure de l'autonomie fonctionnelle (SMAF) et la Mesure de l'indépendance fonctionnelle (MIF). Conçu par le Dr Réjean Hébert, le SMAF[41] est utilisé comme outil d'évaluation et de suivi de l'autonomie fonctionnelle des clientèles, tant celles qui reçoivent des soins à domicile que celles qui vivent en institution d'hébergement. Un peu plus tard, un tableau de soins est conçu pour guider les intervenants dans leurs actions quotidiennes. Le SMAF et le tableau de soins sont implantés dans

---

41. Hébert, R. (1982), L'évaluation de l'autonomie fonctionnelle des personnes âgées, *Canadian Family Physician*, 28, 754-762.

le réseau public de la santé de toutes les régions du Québec à compter d'avril 2003[42]. Anne Monat, ergothérapeute, participe activement à l'implantation de ce tableau dans les Centres d'hébergement en soins de longue durée (CHSLD). Monique Audet, ergothérapeute à l'IRM, joue un rôle clé dans la traduction française et l'implantation de la MIF dans plusieurs milieux de la réadaptation physique. De plus, de nombreuses formations sont organisées, auxquelles les ergothérapeutes de l'IRM participent activement.

Découlant d'une révision de la CIDIH, le cadre conceptuel du processus de production du handicap (PPH) est conçu par l'équipe du Dr Patrick Fougeyrollas incluant deux ergothérapeutes, René Cloutier et Hélène Bergeron. Ce cadre est implanté dans les milieux de la réadaptation physique au début des années 1990. Le PPH permet une compréhension systémique de la personne en interaction avec son environnement; le handicap y est considéré comme situationnel. Désormais, les objectifs sont établis non seulement en fonction des déficiences et incapacités du patient, mais en considérant ses habitudes de vie et son environnement. Les ergothérapeutes trouvent dans ce cadre complémentarité et compatibilité avec les modèles génériques utilisés en ergothérapie[43]. Pour mieux démystifier le PPH, la *Revue québécoise d'ergothérapie* y consacre un numéro en 1996. Au début des années 2000, les établissements de réadaptation en déficience physique adoptent le PPH pour l'élaboration des plans d'intervention.

Les modèles du Rendement occupationnel et de l'Occupation humaine qui ont suscité un intérêt lors de la précédente période sont encore plus solidement ancrés dans la pratique. Les nombreux outils créés par Gary Kielhofner et son équipe sont traduits en français. Pour centraliser les traductions et les valider, le Centre de référence du modèle de l'occupation humaine voit le jour dans la région de Québec. C'est le fruit d'un partenariat entre des professeurs de l'Université Laval, des chercheurs et des cliniciens (Hôpital Robert-Giffard, Hôtel-Dieu de Québec et de Lévis, Institut de réadaptation en déficience physique du Québec). Dans les années 1990 également, la Mesure canadienne du rendement occupa-

---

42. www.expertise-sante.com/oemc.htm
43. Gauthier, J. (1996), Complémentarité du modèle de rendement occupationnel en ergothérapie et de la proposition québécoise de la CIDIH, *Revue québécoise d'ergothérapie*, 5 (2), 70-74.

tionnel (MCRO) est adoptée[44] par les ergothérapeutes dans plusieurs milieux cliniques[45].

Au cours des années 1990-2000, les approches cognitivo-comportementales gagnent en popularité non seulement en santé mentale mais aussi en santé physique. Ainsi, en santé mentale pour des clientèles présentant des troubles sévères et persistants, les ergothérapeutes mettent en application un programme très répandu aux États-Unis, soit celui d'Anthony et Lieberman (1992). L'intervention comprend un entraînement aux habiletés sociales et à l'autonomie dans les activités de la vie quotidienne. Lors de la décennie 1990, des ergothérapeutes québécois élaborent des programmes pour jeunes psychotiques. C'est le cas de Christiane Morin en collaboration avec le Dr Lalonde à l'Hôpital Louis-Hippolyte Lafontaine, de René Bélanger à l'Hôtel-Dieu de Lévis et de Pierre Fortier, à l'Institut Albert-Prévost. Au début des années 2000, les approches intégrées suscitent l'intérêt des ergothérapeutes travaillant dans divers secteurs d'activité. C'est le cas du programme « Integrated Psychological Treatment (IPT) » conçu d'après une approche cognitivo-comportementale en 1992 par H. D. Brenner, psychiatre, et ses collaborateurs. Ce programme, adapté par Catherine Briand dans le cadre de ses études doctorales au début des années 2000, est implanté dans neuf milieux de la région de Québec pour la clientèle présentant une schizophrénie[46].

En santé physique adulte, les ergothérapeutes explorent de nouvelles approches. Par exemple, pour les clientèles présentant une atteinte cérébrale (AVC, traumatisme crânien), on trouve la thérapie par contrainte induite, la rééducation par répétition de tâches spécifiques et la réadaptation cognitive.

Les ergothérapeutes œuvrant auprès des enfants en santé physique continuent d'utiliser les approches neurodéveloppementales et sensorielles

---

44. Law, M., Baptiste, S., McColl, M. A., Opzoomer, A., Polatajko, H. et Pollock, N. (1990), The Canadian occupational performance measure : An outcome measure for occupational therapy, *Canadian Journal of Occupational Therapy*, 57 (2), 82-87.

45. Entrevue avec René Bélanger, le 20 octobre 2010.

46. Briand, C., Bélanger, R., Hamel, V., Nicole, L., Stip, E., Reinharz, D., Lalonde, P. et Lesage, A. (2005), Implantation multisite du programme Integrated Psychological Treatment (IPT) pour les personnes souffrant de schizophrénie. Élaboration d'une version renouvelée, *Santé mentale au Québec*, 30 (1), 73-95.

qu'ils combinent avec de nouvelles méthodes : la méthode de réorganisation neurofonctionnelle, communément appelée la « méthode Padovan », la méthode Masgutova (Method of Neurosensorimotor Reflex Integration [MNRI], la méthode ludique et l'hippothérapie, élaborée par Carolyne Mainville.

Pour les clientèles autistes, des interventions structurées comme *Floortime*, basées sur les séquences de développement, font leur apparition. En dernier lieu, l'approche Snœzelen fait l'objet d'expérimentations auprès de plusieurs clientèles, y compris la pédiatrie et la gériatrie pour les personnes atteintes de démence. Des ergothérapeutes participent à l'aménagement de salles Snœzelen, entre autres à l'Hôpital L.-H. Lafontaine, à l'Hôpital Douglas, à l'École Marie-Rivier, à l'Hôpital Rivière-des-Prairies et à l'École Peter Hall.

En gériatrie, l'approche prothétique élargie (APE), élaborée par Anne Monat, ergothérapeute, est largement répandue. Elle se définit comme :

> Un modèle d'intervention visant à prévenir, à diminuer et à gérer les comportements dysfonctionnels et perturbateurs chez les personnes présentant des troubles cognitifs et qui favorise le maintien et l'amélioration de l'autonomie fonctionnelle chez les personnes hébergées. On doit agir sur les trois constituants de base que sont la communication, les activités et l'environnement. Dans cette approche, l'intervenant est un accompagnateur qui aide le résident à utiliser son potentiel et à exercer sa capacité d'autodétermination[47].

Comme l'ergothérapeute est de plus en plus sollicité pour faire des aménagements domiciliaires, de nouveaux outils sont conçus afin de mieux cerner les problèmes reliés à l'interaction de la personne dans son environnement. Une première grille d'analyse établie en 1989 par une équipe incluant Francine Trickey, ergothérapeute, est suivie, en 1997, de l'Évaluation à domicile de l'interaction personne-environnement (ÉDIPE), de Jacqueline Rousseau.

Par ailleurs, nous assistons à l'éclosion de nouvelles technologies comme la domotique (technologies de l'électronique, de l'information et des télécommunications utilisées à la maison) et les systèmes de contrôle de l'environnement (voir le chapitre 4). Les ergothérapeutes apportent une expertise spécialisée dans les domaines des aides à la posture et à la mobilité, des orthèses, des aides au contrôle de l'environnement et de la communi-

47. www.cssstr.qc.ca

cation. Dans un contexte de restrictions budgétaires, des ergothérapeutes s'intéressent au recyclage des aides techniques et à leur accessibilité. Graduellement, les aides techniques sont commercialisées, ce qui rend plus difficile le « sur-mesure ». Des répertoires et logiciels sont créés pour faciliter le choix et le prêt d'équipement. Afin de maintenir les plus hauts standards de pratique dans ce domaine, des ergothérapeutes vont chercher une certification. C'est le cas d'Érik Langlois, ergothérapeute au Programme des aides au contrôle de l'environnement et à la communication (PACEC), à l'IRDPQ, qui est le premier ergothérapeute au Québec à détenir une certification de la Rehabilitation Engineering & Assistive Technology Society of North America (RESNA)[48].

Concernant la conduite automobile, l'ergothérapeute devient un acteur clé pour déterminer l'aptitude de la personne pour cette activité, le développement des capacités à conduire et l'évaluation des besoins en matière d'adaptation du véhicule. D'ailleurs, une formation dans ce champ d'expertise est mise sur pied dans les années 2000.

Quant à l'évaluation en ce qui concerne la réintégration au travail d'un accidenté, les ergothérapeutes participent au développement de nouvelles approches et d'outils. Désormais, le milieu de travail est privilégié pour évaluer et faire les entraînements en vue du retour au travail.

Les conditions de travail

En 1990, le Syndicat professionnel des ergothérapeutes du Québec (SPEQ) change de nom et devient le Syndicat des ergothérapeutes du Québec (SEQ). Le 27 avril 1994, l'Occupational Therapist Union (O. T. Union)[49] joint les rangs de la SEQ pour accroître la représentativité des ergothérapeutes. Le 31 décembre 2002, le SEQ compte 1146 membres répartis dans 166 établissements. Quatre personnes se sont succédé à la présidence du syndicat : Richard Leclerc (1989-1990), Louise Tremblay (1990-1995), Marie-Claude Raynault (1995-2003) et Caroline Paquette (2003-2004). À

---

48. Seul détenteur au Québec d'une certification RESNA, Communic Action, *Journal de l'IRDPQ*, 2006.
49. O. T. Union représente les ergothérapeutes travaillant à l'Hôpital général de Montréal et à l'Hôpital de Montréal pour enfants. À l'époque, cela représente une quarantaine de membres.

compter de 2004, la Loi 30, loi concernant les unités de négociation dans le secteur des affaires sociales et modifiant la Loi sur le régime de négociation des conventions collectives dans les secteurs publics et parapublics, oblige le regroupement des professionnels et techniciens du réseau de la santé et des services sociaux. L'Alliance du personnel professionnel et technique de la santé et des services sociaux (APTS) devient désormais le syndicat représentant les ergothérapeutes.

En 1996, les ergothérapeutes participent à une grève pour obtenir du gouvernement une proposition plus acceptable que la récupération proposée de 6 % de la masse salariale.

Concernant la formation continue, dans les années 1990, les conventions collectives prévoient que 1 % de la masse salariale devra être consacré à la formation continue, ce qui ne s'est cependant pas concrétisé partout.

L'ordinateur en milieu de travail

Le sondage mené auprès des ergothérapeutes nous apprend que les rapports étaient dactylographiés jusque vers 1994. Ce n'est que vers 1996 qu'ils ont eu accès à l'ordinateur dans leurs milieux de travail.

Hors des sentiers battus

Au fil des ans, les ergothérapeutes n'hésitent pas à sortir des sentiers battus et à œuvrer dans des milieux inusités : dans une prison, à la cour, à la SAAQ, à la Société d'habitation du Québec (SHQ), dans les salles d'urgences, dans le Grand Nord québécois et différents secteurs du réseau de la santé.

Une ergothérapeute avec les détenus

À l'hiver 1971, le pénitencier Saint-Vincent-de-Paul à Laval, sous juridiction fédérale, embauche sa première ergothérapeute, Adèle Morazain, ainsi que deux psychologues et deux criminologues pour mettre sur pied un service de « traitement psychiatrique » pour les détenus. L'aile psychiatrique regroupe une cinquantaine de détenus. Adèle Morazain y travaille de 1971 à 1975. Au départ, son mandat est peu défini. La direction voit l'ergothérapie comme un tremplin permettant de passer de l'inaction et la dépression à la fréquentation d'un plateau de travail. Les détenus sont vus en individuel ou en petits groupes. L'objectif est de leur permettre de découvrir leur moyen d'expression propre et de favoriser un retour à une vie active et fonctionnelle. La plupart du temps, un infirmier est présent dans le local, surtout lorsqu'il y a plusieurs patients. Adèle Morazain a toujours refusé que des agents de sécurité assistent aux sessions, car leur seule présence suscitait beaucoup d'agressivité chez les détenus. Bien sûr, il y eut quelques moments cocasses comme elle nous le rapporte :

> La première fois que j'ai appelé un détenu *monsieur*, il m'a tout simplement répondu : «Moi, je suis le n° 4040, Machin Truc; en prison, on perd tous ses droits, il n'y a pas de monsieur», ou encore, la première fois que j'ai souhaité bonne fin de semaine en quittant un vendredi : «En prison, il n'y a pas de fin de semaine, tous les jours sont pareils.» Lorsque j'ai laissé mon poste en 1975, j'entendais plutôt : «Bonne fin de semaine, tu prendras une bière à notre santé»... quel changement! Je pense que la présence de professionnels qui les écoutaient et les respectaient a entraîné une humanisation du milieu.

Comme Adèle Morazain est la première femme à travailler auprès de ces détenus, sa présence créée tout un bouleversement dans le quotidien et dans les attitudes des équipes en place. À titre d'exemple, elle relate certaines situations inusitées :

> Ma présence comme femme dans le milieu était «protégée» au sens littéral du terme. Je me suis aperçue un jour que j'étais toujours encerclée (physiquement) de détenus ayant un fort ascendant sur les autres. La raison : «On a maintenant des femmes dans le milieu et on ne veut pas les perdre, alors on s'assure que personne ne commet de connerie pouvant compromettre cette présence.» En fait, la présence de tous les professionnels leur était précieuse. Lors d'une mini-émeute : les détenus nous ont spontanément mis à l'abri du grabuge.

Aussi, dans un tel milieu, les conditions salariales sont différentes pour les femmes. Adèle Morazain se souvient très bien de la convention collective de cette époque-là :

> Il était écrit dans la convention collective que tout homme travaillant directement auprès des détenus avait droit à une prime de dangerosité. J'ai dû me battre et avoir recours à un avocat pour qu'une «femme» travaillant directement auprès des détenus ait droit à cette même prime. La décision a été rendue alors que j'étais en congé de maternité, enceinte de sept mois.

Même si elle a dû mener des batailles pour avoir une reconnaissance dans ce type de milieu en tant que femme, cette expérience a été fort enrichissante pour elle. L'atmosphère y était des plus humaines et des plus vraies : « Quand une personne n'a plus d'exigences et de contraintes sociales, que le *paraître* perd son sens, elle se recentre sur son essence. »

L'ergothérapeute comme témoin expert à la cour

Les ergothérapeutes sont appelés à agir à titre d'experts auprès des tribunaux depuis 1985, et ce, autant pour le compte du bénéficiaire que du tiers payeur[50]. Au fil des ans, deux types d'expertises leur sont généralement demandés : l'un lié au préjudice corporel et l'autre, au retour au travail. Des organismes payeurs tels que la SAAQ et la CSST demandent à l'ergothérapeute de se prononcer sur diverses questions telles qu'établir la capacité d'une personne à occuper un emploi et évaluer les limitations fonctionnelles pour un emploi donné ou pour le retour à l'emploi initial[51].

Suzanne Gagnon est une des premières ergothérapeutes à réaliser un tel mandat[52]. À compter des années 1990, plusieurs ergothérapeutes agissent comme experts à la cour, dont Monique Martin, Audrey Lalumière, Françoise Poirier, Pierre-Yves Therriault et France Verville ; la plupart d'entre eux détiennent une formation d'ergonomes qui s'avère un atout important pour les dossiers reliés à l'intégration au travail.

Comme les ergothérapeutes sont de plus en plus nombreux à agir en tant qu'experts à la cour, le Syndic de l'OEQ émet, en 2010, des directives sur les conséquences du défaut d'agir avec objectivité et impartialité, et précise les compétences nécessaires pour agir à titre d'expert[53].

Un premier ergothérapeute à la Société de l'assurance automobile du Québec (SAAQ)

En 1989, René Cloutier accepte un poste à la SAAQ, ce qui l'amène, entre autres, à participer au développement de programmes en réadaptation pour les victimes de la route. Au début, il joue un rôle de conseiller pour

---

50. L'ergothérapeute comme témoin expert à la cour : les préalables, *Ergothérapie express*, 20, 4, 2009.
51. *Idem.*
52. Courriel de Monique Martin, le 8 février 2011.
53. L'ergothérapeute comme témoin expert à la cour : obligation d'agir avec objectivité et impartialité, *Ergothérapie express*, 21 (2), 7, 2010.

ces programmes de réadaptation puis, il devient successivement chef d'équipe, chef de division, chef de service et cadre supérieur. Il reste en poste à la SAAQ pendant 20 ans (1989-2009).

Au-delà des cours en évaluation de programmes et en gestion qu'il a suivis, M. Cloutier considère que sa formation en ergothérapie est la plus utile[54]. À plusieurs reprises, il doit démontrer à la SAAQ que la réadaptation des blessés de la route est rentable et ce, d'autant plus si l'intervention se fait précocement selon un continuum de soins et en considérant la globalité de la personne. Comme il connaît bien le milieu de la réadaptation, il a la responsabilité de négocier les protocoles d'ententes avec les établissements qui reçoivent les blessés de la route. Après plusieurs années d'implantation, à sa grande satisfaction, les partenariats établis au fil des ans se sont poursuivis.

D'autres ergothérapeutes œuvrent au sein de cet organisme : Alberte Dugas, France Bélanger, Johanne Delisle, Linda Manzo, Marguerite Lauzon, Nancy Vallée et Marie Gervais ; cette dernière y sera directrice de la recherche pendant deux ans.

Des ergothérapeutes à la Société d'habitation du Québec (SHQ)

Plusieurs ergothérapeutes s'impliquent à la Société d'habitation du Québec. Une des premières est Christine Ruel, suivie de Lynn Sutton en 1996. Quelques années plus tard, d'autres se joignent à l'équipe en place : Germain Lambert, André Jean et Gisèle Damecour. Au début, leurs interventions portent particulièrement sur l'analyse des besoins d'adaptation du domicile de la personne. À partir de 2006, une décentralisation s'effectue et, progressivement, ces ergothérapeutes sont demandés comme conseillers, formateurs et éducateurs. Avec les années, plusieurs ergothérapeutes s'occupent de divers dossiers, entre autres la révision des normes du Programme d'adaptation du domicile (PAD). Avec le temps, selon Gisèle Damecour, « les ergothérapeutes se sont taillé une place importante en adaptation de domicile ».

54. Entrevue téléphonique avec René Cloutier, le 8 février 2011.

La pratique de l'ergothérapie en salle d'urgence

La pratique de l'ergothérapie en salle d'urgence commence dans la région de Montréal au début des années 1990. Une première ergothérapeute, Markirit Armutlu, y travaille à l'Hôpital St. Mary. Au début, elle y consacre sept heures par semaine, soit 20 % de sa charge de travail. Le premier poste à temps plein à l'urgence est occupé par Kashif Baig, à l'Hôpital Royal Victoria[55]. Comme ce secteur d'activité est nouveau, il n'y a pas de lignes directrices particulières, ni d'outils d'évaluation spécifiquement conçus pour les clientèles de l'urgence. Une enquête effectuée en 2003[56] nous apprend que des ergothérapeutes pratiquent en urgence dans plusieurs régions socioadministratives du Québec depuis un maximum de 11 ans. Dans ce milieu, les ergothérapeutes consacrent plus de 90 % du temps à la clientèle âgée et sont intégrés à des équipes interdisciplinaires. Comme cette pratique est en émergence, les ergothérapeutes confirment lors du sondage la nécessité d'être mieux outillés pour faire face aux difficultés dans leur pratique. Pour répondre à ce besoin, Nathalie Veillette relève le défi d'élaborer un instrument de mesure : l'Évaluation du statut fonctionnel à l'urgence pour les personnes âgées, le ESFU-PA, dans le cadre de ses études doctorales à l'Université de Montréal.

Une pratique inusitée dans le Grand Nord québécois

Grâce à un projet mis sur pied par l'Hôpital Inuulitsivik de la Baie d'Hudson et l'Hôpital de Montréal pour enfants, des services d'ergothérapie sont dispensés dans le Grand Nord québécois depuis 1993. Les régions de la baie James et la baie d'Ungava sont également desservies. Deux ergothérapeutes de l'Hôpital de Montréal pour enfants, Christine Tremblay et Anne Lachance, relèvent le défi d'intervenir auprès des populations cries et inuites du Québec. Elles doivent répondre aux besoins de la clientèle pédiatrique avec déficit moteur ou retard de développement, la clientèle arthritique en perte d'autonomie et les personnes présentant des problèmes orthopédiques et des amputations. Des voyages d'une durée

55. Courriel de Nathalie Veillette, le 22 janvier 2011.
56. Veillette, N., Demers, L. et Dutil, É. (2007). Description de la pratique des ergothérapeutes du Québec en salle d'urgence, *Canadian Journal of Occupational Therapy*, 74 (4), 348-358.

de 10 à 14 jours chacun leur permettent de visiter environ trois villages. Il leur faut toutefois tenir compte de la période de chasse et de pêche pour la planification des visites et également considérer que lors du décès d'un membre de la communauté, tout s'arrête, tous les services sont suspendus. Ces ergothérapeutes offrent des services d'évaluation et de suivi, des recommandations en équipement et aménagement du domicile et elles entraînent des intervenants communautaires. Pour une adaptation du domicile, elles doivent adresser une demande d'autorisation au conseil de bande. Un interprète est requis pour les interventions. Voici ce que Christine Tremblay nous raconte sur les visites à domicile:

> Lorsqu'on entre dans la maison, on s'assoit par terre, souvent à côté d'un morceau de carton sur lequel une oie ou un phoque vient d'être découpé. Le caribou fumé est suspendu à l'entrée. On observe ce que les membres de la famille font, on discute de tout et de rien avant de poser nos questions qui peuvent être perçues comme indiscrètes, surtout celles en lien avec l'hygiène personnelle. (…) Lorsque des orthèses sont nécessaires, j'utilise un chaudron d'eau bouillante ou le rond de la cuisinière pour les mouler.

Dans le Grand Nord, un premier poste permanent en ergothérapie est créé en 2005 à Kuujjuaq au Nunavik: le Centre de santé Tulattavik de l'Ungava. Sophie Plourde y a la responsabilité de couvrir les demandes de services de tous les villages situés le long de la baie d'Ungava[57].

Pour travailler dans le Grand Nord, l'ergothérapeute doit être polyvalent, car il reçoit une clientèle variée, de tous les âges, et dont la majorité sont des Inuits. La visioconférence est souvent utilisée pour communiquer les résultats de l'évaluation lors d'un transfert de patient à Montréal. Dans un tel contexte de pratique, pouvoir compter sur un réseau de soutien est primordial. Compte tenu de l'absence d'infrastructure routière entre les villages, les déplacements se font par avion ou en motoneige, l'hiver. L'évaluation représente tout un défi, car la majorité des outils ne sont pas validés pour cette clientèle.

Des pionniers dans le réseau de la santé et dans des postes de direction

Dans les années 1980, des ergothérapeutes sont responsables de dossiers ou membres de comités clés dans le domaine de la santé. Ainsi, Nicole

---

57. Entrevue avec Sophie Plourde, le 7 janvier 2011.

Paré-Fabris participe à l'élaboration du programme cadre pour les personnes ayant une déficience physique, Denise Mauger est nommée vice-présidente du Conseil consultatif des aides techniques et présidente du comité des orthèses-prothèses et Colette Tracyk, Renée O'Dwyer, Nicole Paré-Fabris et Denise Mauger siègent à la Régie régionale de la santé et des services sociaux de Montréal-Centre.

Au début des années 1990, la gestion attire davantage d'ergothérapeutes. Après avoir suivi des formations, soit des certificats ou des maîtrises en gestion, ils peuvent aspirer à des postes de direction. Ainsi, Colette Tracyk devient la première ergothérapeute à occuper un poste de directrice générale. Elle assume cette fonction à l'Institut universitaire de gériatrie de Montréal (IUGM) de 1994 à 2004. Colette Tracyk mérite, en 1999, un prix d'excellence de l'Association des directeurs généraux des services de santé et des services sociaux du Québec, pour sa constance d'une gestion remarquable et la réalisation d'activités significatives pour le réseau ou pour leurs pairs. Après son départ, Marie-France Simard relève ce défi en devenant la deuxième ergothérapeute directrice générale de IUGM.

Au début des années 2000, l'intérêt des ergothérapeutes pour des postes à responsabilité se maintient : directeur des services professionnels, directeur des services à la clientèle, directeur général dans des centres de réadaptation de différentes régions du Québec, directeur de la qualité, sécurité et risques, commissaire aux plaintes, conseiller en aides techniques et de la réadaptation à l'Agence d'évaluation des technologies et des modes d'intervention en santé (AETMIS), chargé de projets à l'Agence de santé de Montréal, directeur de la qualité et de la mission universitaire, directeur au sein du conseil d'administration à l'Alliance du personnel professionnel et technique de la santé et des services sociaux (APTS).

Les ergothérapeutes qui occupent de tels postes sont d'avis que l'approche globale, le travail en équipe et les cadres de référence en ergothérapie sont des atouts précieux pour eux. Pour Colette Tracyk :

> L'expérience clinique en ergothérapie m'a permis de mieux traduire les préoccupations des professionnels aux gestionnaires, au ministère… et vice-versa. Je savais ce que c'était de travailler en équipe, de donner des services. C'était un plus pour moi et je pouvais faire le pont entre les uns et les autres.

*

Avec les réformes du système de la santé et des services sociaux, la réforme du système professionnel et les nouvelles exigences de pratique, les ergo- thérapeutes ont su bien s'adapter et relever de nombreux défis. Comme le souligne Julien Prud'homme, historien, les stratégies développées au fil des ans par les ergothérapeutes leur ont permis de faire reconnaître leurs territoires de pratique[58].

58. Prud'homme, J. (2011), *Professions à part entière, op. cit.*

4

L'ergothérapie dans la communauté

Promouvoir l'ergothérapie dans un milieu inhabituel devra
faire partie du travail d'un nombre de plus en plus grand
de thérapeutes afin que notre profession assume vraiment son rôle
dans la communauté. C'est d'ailleurs l'unique façon qui permettra aux
ergothérapeutes de participer pleinement au mieux-être de la société.

FRANCINE FERLAND[1]

L'histoire de la pratique de l'ergothérapie ne serait pas complète sans parler
de l'engagement de la profession dans la communauté. Nombreux sont
les ergothérapeutes à avoir innové de diverses façons dans ce secteur. Il
faut distinguer la pratique en milieu communautaire de l'intervention en
santé publique, appelée pendant un certain temps « santé communautaire ». La première inclut les services professionnels offerts dans le milieu
de vie de la personne, alors que la deuxième concerne essentiellement des
activités de prévention et de promotion de la santé en vue d'améliorer la
santé de la population. Ces deux thèmes seront élaborés ici, puis sera
abordée l'évolution de la pratique privée ; enfin, seront mentionnées certaines contributions humanitaires d'ergothérapeutes.

---

1. Ferland, F. (1978), Implication d'une ergothérapeute dans des cours prénataux,
Revue canadienne d'ergothérapie, 45 (2), 71-74.

La pratique en milieu communautaire

Avec le temps, les ergothérapeutes viennent à offrir leurs services dans les Centres locaux de santé communautaire (CLSC), à domicile, dans des organismes de transition vers la communauté, en milieu scolaire et dans des organismes communautaires.

Dans les CLSC

À la suite de l'instauration du système public de santé, l'établissement du régime d'assurance hospitalisation et le régime d'assurance maladie, les CLSC sont créés en 1972 pour offrir des soins de première ligne en matière de santé et de services sociaux. Chaque CLSC détermine la gamme de services qu'il compte offrir à la clientèle de son territoire. Les principaux programmes à l'époque sont le maintien à domicile des personnes âgées ou des personnes aux prises avec des incapacités, les cours prénataux, les soins aux nouveau-nés, la vaccination des jeunes enfants, la formation en hygiène et en santé dans les écoles.

Aucun poste en ergothérapie n'est prévu dans les CLSC. Certains ergothérapeutes y offrent toutefois leurs services. C'est grâce à ces initiatives que les premiers ergothérapeutes sont embauchés; il ne s'agit cependant pas toujours de postes à temps plein. Puis l'effet boule de neige s'enclenche: après qu'un CLSC a bénéficié de ces services, les gestionnaires d'autres CLSC souhaitent également embaucher des ergothérapeutes. Claire Gosselin[2] est la première ergothérapeute embauchée par un CLSC en 1980. Le CLSC de Rivière-des-Prairies retient ses services pour un projet expérimental de quatre mois, dans une équipe de maintien à domicile[3]. Elle trace la voie pour la profession dans ce domaine. Les résultats de ce projet s'avèrent concluants puisque, quelques mois plus tard, les équipes de maintien à domicile des CLSC Mercier-Ouest, Saint-Léonard et Rosemont engagent aussi une ergothérapeute sur une base contractuelle. Voici comment, dans le document présentant son offre de services, Claire Gosselin précise la contribution de l'ergothérapeute dans ce secteur d'activité:

2. Claire Gosselin est aujourd'hui agente de planification, de programmation et de recherche à l'Agence de la santé et des services sociaux de Laval.
3. Gosselin, C. (1983), Le maintien à domicile: une avenue pour l'ergothérapie en milieu communautaire, *Le Transfert*, 7 (4), 4-8.

L'ergothérapeute représente une ressource unique qui influence l'orientation des services de maintien à domicile. Il a le pouvoir d'offrir des moyens concrets pour atteindre les objectifs d'autonomie et de qualité de vie des bénéficiaires et de leur milieu… en plus de favoriser une prise en charge de la situation par le bénéficiaire et son milieu.

Quant à la région de Québec, Claire Douville nous apprend en entrevue y avoir été la première ergothérapeute à travailler en CLSC. Embauchée en 1981 par le Département de santé communautaire Saint-Sacrement, Claire Douville dessert alors quatre territoires de CLSC. Marie-Paule Raynault, pour sa part, est la première ergothérapeute embauchée par un CLSC à Sherbrooke en 1987. Au début des années 1990, les douze CLSC qui desservent la région de Trois-Rivières embauchent chacun un ergothérapeute pour leur programme de soutien à domicile.

À cette époque, travailler en CLSC signifie offrir des services aux personnes dans leur milieu de vie, mais aussi favoriser leur intégration sociale. Comme l'intégration d'une personne est souvent tributaire de son environnement, une part importante du travail de l'ergothérapeute consiste à recommander des aménagements domiciliaires (rampes d'accès, barres d'appui pour baignoire, aires de circulation…), à suggérer des aides techniques pour pallier une perte de fonction, à adresser ces personnes aux ressources du milieu selon les besoins et à recommander des services d'aide à domicile pour assister la personne dans ses activités quotidiennes. Ces services sont ponctuels : si une personne a besoin de traitements individuels continus, elle est alors dirigée vers un hôpital de jour, un centre de jour ou un centre de réadaptation.

Des ergothérapeutes prennent aussi l'initiative d'offrir leurs services à d'autres clientèles desservies par les CLSC. Ainsi, en 1985, la candidature de Francine Fonta est retenue par le CLSC Sainte-Rose pour un contrat d'un an afin de participer à un projet de recherche mené auprès des enfants et dirigé par Camil Bouchard. À la fin de ce contrat, le CLSC offre à Francine Fonta un poste d'un jour par semaine au programme enfance-famille-jeunesse qui, au fil du temps, deviendra un poste de quatre jours par semaine. Au cours des années subséquentes, d'autres CLSC emploient des ergothérapeutes dans ce programme, entre autres les CLSC du Havre, du Marigot et d'Ahuntsic.

C'est aussi en 1985 que le CLSC Le Norois d'Alma embauche une ergothérapeute, Linda Simard, pour travailler avec des enfants aux prises avec des incapacités, en vue de leur intégration en milieu scolaire régulier[4]. Linda Simard y élabore une grille d'observation pour dépister les retards de développement des enfants lors des cliniques de vaccination et prépare des documents de stimulation à l'intention des parents. Les enfants aux prises avec des incapacités physiques sont évalués à domicile et des jeux sont suggérés aux parents. Des contacts sont établis avec les écoles desservies par le CLSC pour préparer l'intégration scolaire de ces enfants dès la maternelle.

En 1987, Claire Gosselin est de nouveau l'une des premières ergothérapeutes à faire partie, cette fois, d'une équipe de psychogériatrie ambulatoire rattachée à un CLSC. Son travail au CLSC Olivier-Guimond en est alors un de consultante auprès des intervenants. Elle y travaille jusqu'en 1999. D'autres ergothérapeutes, dont Ann Mooney, font aussi partie d'équipes de santé mentale dans les CLSC.

En 1980, à Québec, Louise Rochette et Jacquelin Dion, ergothérapeutes au Centre hospitalier de l'Université Laval (CHUL), mettent sur pied des ateliers d'ergothérapie. En 1993, ils sont mutés au CLSC Sainte-Foy–Sillery où ils continuent à offrir des ateliers. Ce transfert représente la solution trouvée par le MSSS pour résoudre un problème financier au CHUL. Vers les années 2000, ce sont des ergothérapeutes du centre de jour de l'Hôpital Enfant-Jésus, entre autres Lucille Shaw et Ginette Dostie, qui sont transférées dans un CLSC.

Au cours des ans, le nombre de CLSC offrant des services d'ergothérapie s'accroît. En 1988, il y en a 59 et en 1993-1994, on en dénombre 107[5]. En 2010, selon les données de l'Ordre des ergothérapeutes du Québec (OEQ), il y a 684 ergothérapeutes qui pratiquent dans 157 CLSC ou points de services.

À domicile

Déjà dans les années 1930, certains ergothérapeutes font des visites à domicile. Le tarif horaire demandé est alors de 1,50 $; pour 12 visites, les honoraires sont de 10 $.

4. Simard, L. (1988), Une approche ergothérapique en pédiatrie communautaire, *Le Transfert*, 12 (2), 16-18.
5. Tremblay, L. (1995), L'ergothérapie dans les CLSC : État de la situation, *Revue québécoise d'ergothérapie*, 4 (3), 98-103.

Jusqu'à la fin des années 1950, les ergothérapeutes œuvrent principalement dans les centres hospitaliers. Au cours des années 1960, des programmes à domicile sont mis en place à l'Hôpital de Montréal pour enfants[6] et à l'Institut de réhabilitation de Montréal. Des services à domicile sont également offerts en santé mentale adulte à l'Institut Albert-Prévost : Raymonde Hachey y travaille dès 1968. À cette même époque, Raymonde Hachey, Denise Auger et Michel Villemaire font partie d'équipes volantes qui offrent des services dans le Nord-Ouest québécois. Dans les années 1970, des soins à domicile, incluant les services d'une ergothérapeute, sont mis sur pied à l'Hôpital Sainte-Justine[7] de même qu'au Centre d'accueil Le Renfort[8]. Quant à la région de Trois-Rivières, Chantal Pinard y a travaillé en service à domicile dès 1978 à la suite d'ententes entre le Centre hospitalier Cooke et le Département de santé communautaire.

Surprises lors de visites à domicile

Les visites à domicile peuvent réserver des surprises comme le rapportent des ergothérapeutes dans le sondage : visiter un client qui vit nu dans son domicile, entrer dans une maison infestée de punaises, se rendre à un domicile sans avoir été averti par ses collègues que le client était... mort.

Dans des programmes de transition vers la communauté

À l'Hôpital Louis-Hippolyte Lafontaine de Montréal, de 1975 à 1986, l'ergothérapeute Madeleine Bédard collabore au projet des appartements supervisés mis sur pied par une travailleuse sociale. Ces derniers représentent une étape transitoire pour les patients, avant qu'ils ne retournent vivre dans la communauté.

Pour sa part, Lucille Shaw, ergothérapeute à l'Enfant-Jésus à Québec, fait un voyage en France en 1989 pour se familiariser avec les appartements

6. Vulpe, S. (1968), Home programming by occupational therapists. An approach to the habilitation and rehabilitation of atypical development in children, *Revue canadienne d'ergothérapie*, 35, 129-139.

7. Legros, P. (1980), Les soins à domicile : une formule à explorer, *Le Transfert*, 4 (4), 11.

8. Bonnier-Bergeron, H. (1980), Service à domicile pour les enfants ; approche plus réaliste et plus efficace, *Le Transfert*, 4 (4), 24.

de transition, appelés ainsi parce qu'ils requièrent plus d'encadrement que les appartements supervisés. À son retour, elle met sur pied ce type de ressource avec des infirmières. Un deuxième poste d'ergothérapeute y est créé et, pendant 10 ans, ces ergothérapeutes offriront, entre autres, des services d'évaluation aux patients qui y séjournent. Les appartements de transition ferment leurs portes vers 2000 et les ergothérapeutes sont affectés au programme en santé mentale d'un CLSC.

Toujours dans les années 1980, d'autres ergothérapeutes œuvrant en santé mentale participent à des interventions favorisant la transition des patients de l'hôpital vers la communauté. Ainsi, à l'Hôpital Douglas, divers programmes auxquels participent des ergothérapeutes voient le jour pour diminuer le nombre de réadmissions et pour maintenir les clients le plus longtemps possible dans la communauté[9]. L'animation de groupes de tâches par des ergothérapeutes auprès de ces patients âgés de 18 à 70 ans et atteints de schizophrénie ou ayant un trouble de la personnalité vise, entre autres, à développer des habiletés à effectuer les activités de la vie quotidienne, à planifier un budget, à utiliser les transports en commun et les autres ressources de la communauté.

Des ergothérapeutes collaborent aussi à des expériences hors établissement. Ainsi, Line St-Amour et Danielle Vézina du centre de jour de l'Institut Roland-Saucier à Chicoutimi participent en 1980 à deux camps d'hiver et deux camps d'été avec des clients suivis en psychiatrie[10]. Michel Dufresne et Ginette Aubin, ergothérapeutes à l'Hôpital Saint-Luc, organisent pour leurs patients une semaine en forêt.

Autant d'expériences variées qui aident les patients à apprivoiser la vie hors institution, autant d'interventions d'ergothérapeutes dans le milieu de vie du patient, dans sa vie quotidienne, là où la profession a sa véritable raison d'être.

En milieu scolaire

Dans les années 1970, l'ergothérapie s'implante dans des écoles spécialisées de Montréal, soient les écoles Victor-Doré, Joseph-Charbonneau et Jean-Piaget, qui relèvent toutes de l'Hôpital Marie-Enfant, l'école du Centre

9. Poulin, C. (1980), L'ergothérapie en communauté, *Le Transfert*, 7 (4), 20-22.
10. St-Amour, L. et Vézina, D. (1980), Des thérapies hors établissement… au Saguenay, *Le Transfert*, 4 (1), 9-10.

Mackay, l'école Le Tournesol et les écoles Peter Hall. Dans les années 1980, l'ergothérapie commence à l'école À pas de géant (Giant Steps) à Montréal et à l'école Madeleine-Bergeron, à Québec.

À cette époque, le travail auprès de la clientèle en milieu scolaire ayant une déficience physique consiste, entre autres, à évaluer l'enfant, le type de fauteuil roulant requis, les aménagements appropriés, et à l'assurer d'une bonne position en classe. L'ergothérapeute participe aussi à l'intégration de l'élève aux prises avec des incapacités en milieu scolaire régulier[11]. Les ergothérapeutes sont alors engagés par le ministère de la Santé et des Services sociaux.

Vers la fin des années 1990, la clientèle présentant des troubles envahissants du développement (TED) est admise dans les écoles spécialisées en déficience intellectuelle et dans les écoles régulières. Au cours des années subséquentes, des ergothérapeutes sont embauchés pour travailler avec cette clientèle dans des classes spéciales, comme nous l'apprend Maryse Cloutier[12] lors d'une entrevue.

Au fil des ans, le rôle de l'ergothérapeute en milieu scolaire s'élargit, comme en témoigne le mémoire préparé par un groupe de travail de l'OEQ et publié en 2000[13]. Outre les tâches d'évaluation, de réadaptation et de suppléance à la fonction, on y identifie un rôle relevant de la santé publique, soit la prévention de problèmes d'ordre développemental et comportemental, et le dépistage des enfants à risque.

Le Regroupement des ergothérapeutes du milieu scolaire (REMS) publie en 2007 un texte dans lequel il présente l'ergothérapie comme un service éducatif complémentaire, essentiel à la réussite scolaire des élèves en difficulté[14]. Il y précise également l'avantage pour les commissions scolaires d'engager elles-mêmes des ergothérapeutes plutôt que de compter sur les effectifs du réseau de la santé et des services sociaux. En 2010, il y a l'équivalent à temps plein de 17,6 ergothérapeutes embauchés et payés

---

11. Charlebois-Marois. C. (1980), L'intégration scolaire de l'handicapé physique en milieu régulier, *Le Transfert*, 4 (4), 17.

12. Maryse Cloutier est en poste à l'école Le Tournesol depuis 1985.

13. Ordre des ergothérapeutes du Québec, *L'ergothérapie en milieu scolaire*, mars, 2000.

14. Gravel, D. et Messier, J. (2007), Au-delà de la réadaptation: l'ergothérapie à l'école, *Rôle de l'ergothérapie en tant que service éducatif complémentaire auprès des élèves en difficulté*: www.fppe.qc.ca/index_doc/ergotherapie.pdf

par les commissions scolaires ; ce nombre ne tient pas compte des ergo-thérapeutes contractuels ni de ceux relevant du ministère de la Santé et des Services sociaux ou œuvrant dans des écoles privées.

Au cours de l'année internationale de la personne handicapée en 1981, un projet visant à faciliter l'intégration des enfants aux prises avec des déficiences en milieu scolaire est élaborée par des étudiants de l'Université de Montréal sous la supervision de Francine Ferland[15]. Ce programme de sensibilisation à la personne handicapée est présenté dans 32 écoles pri-maires de la Commission des écoles catholiques de Montréal (CECM). Il vise à démystifier la notion de handicap et à sensibiliser les élèves à ce que vit la personne handicapée, contribuant ainsi à une meilleure acceptation par la société de la personne différente et, par là même, à faciliter son intégration.

Dans des organismes communautaires

La sectorisation de la pédopsychiatrie en 1970 contribue à l'orientation communautaire de l'ergothérapie dans ce secteur d'activité. Le découpage géographique du territoire en secteurs vise à offrir des soins plus près du milieu de vie des patients. À titre d'exemple, à l'Hôpital Rivière-des-Prairies, chaque équipe multidisciplinaire compte au moins un ergothé-rapeute et doit desservir un secteur géographique donné de la ville de Montréal. Les ergothérapeutes participent alors à des évaluations multi-disciplinaires, à des consultations dans les garderies de quartier, les écoles, les cliniques du nourrisson, et à des programmes de dépistage. Ces ergo-thérapeutes œuvrant dans les organismes communautaires entrent tout doucement dans le domaine de la santé publique, en participant au dépis-tage et à la prise en charge précoce des enfants.

15. Ferland, F. et Oliel-Amar, A. (1981), Programme de sensibilisation à la per-sonne handicapée, réalisé en milieu scolaire, *Revue canadienne d'ergothérapie*, 48 (5), 203-205.

Une ergothérapeute... dans la rue

À sa première année de pratique en 2000, Caroline Morin[16] devient ergo-thérapeute pour l'organisme Le Bon Dieu dans la rue, mis sur pied par le père Emmett Johns, mieux connu sous le nom de Pops. Cet organisme offre une gamme de services aux jeunes de 12 à 25 ans pour les aider à survivre dans la rue et à se remettre sur pied. Elle y travaille pendant 10 mois à l'atelier d'art, endroit où les jeunes plus fragiles se réfugient, car il représente l'espace le plus calme et le plus « protégé » de la ressource.

Son rôle consiste, entre autres, à assurer le bon fonctionnement de la salle d'art, à détecter les jeunes souffrant d'une maladie mentale, à inter-venir auprès de ceux présentant des difficultés sur le plan de leur organi-sation et de la gestion de leur quotidien afin qu'ils puissent se sortir du milieu de la rue et de tous les problèmes de prostitution et de toxicomanie qu'il implique. Voici ce qu'elle dit de son expérience:

> Quel choc culturel fut la première journée de travail! Je me demandais ce que je pouvais bien offrir à ces jeunes dont l'histoire et les conditions de vie étaient bien loin de ce que je connaissais. J'avais aussi de la difficulté à établir les liens entre les concepts théoriques de ma profession et ce que je vivais dans cet endroit. Le seul lien théorique possible lors de ma première journée de travail fut l'utilisation de l'activité. J'avais besoin de l'activité pour appri-voiser le milieu, pour comprendre ce qui m'entourait et faire du sens dans mon travail. Je me suis assise et j'ai fait des activités artistiques pendant un moment et les jeunes se sont graduellement approchés de moi et j'ai pu entamer le dialogue.
>
> Ce que l'expérience m'a apporté est une identité professionnelle solide, car j'ai dû me définir comme ergothérapeute dans un contexte non conven-tionnel où personne n'était jamais allé et dans lequel je n'avais pas de réfé-rence. Sur le plan clinique, l'expérience m'a amenée à analyser chacune des situations pour bien comprendre ce qui se passait et comment je devais intervenir. Cela m'a donc permis de développer une capacité de réflexion accrue et une compréhension des enjeux thérapeutiques dans les relations avec les clients.

16. Caroline Morin est aujourd'hui spécialiste en activités cliniques au CSSS de Rivière-du-Loup.

L'intervention en santé publique

Le 21 novembre 1986 se tient à Ottawa la première Conférence internationale pour la promotion de la santé qui produit la *Charte d'Ottawa*[17], considérée comme le document établissant les bases de la promotion de la santé. On y définit la promotion de la santé comme « étant le processus qui confère aux populations les moyens d'assurer un plus grand contrôle sur leur propre santé, et d'améliorer celle-ci ». Cette charte vise d'ailleurs la santé pour tous. En 1975, dans son ouvrage *Combat pour la survie*, le Dr Gustave Gingras écrivait : « Je prédis qu'avant l'arrivée de l'an 2000, le concept de la maladie s'estompera pour faire place à une philosophie centrée sur la définition de la santé, proposée par l'Organisation mondiale de la Santé : un état complet de bien-être mental, physique et social » (p. 365). Même si nous n'en sommes pas encore là, on constate que les ergothérapeutes se préoccupent depuis plusieurs années de la santé de la population et ont à cœur la promotion de la qualité de vie.

Dans les années 1990, un nouveau cadre de référence orienté vers la promotion de la santé voit le jour dans le système de santé. On parle alors de « santé communautaire » et quelques années plus tard, c'est le terme *santé publique* qui est retenu. Dans son éditorial du numéro spécial de la *Revue québécoise d'ergothérapie* sur la pratique communautaire, en 1993, la présidente de l'OEQ précise :

> La compétence de l'ergothérapeute dans l'évaluation globale, la connaissance du développement normal, l'analyse d'activités, l'approche centrée sur le client, la croyance dans la capacité de l'être humain de se réaliser dans ses occupations et l'importance de l'interaction avec l'environnement sont des outils qui nous permettront de jouer un rôle vital dans l'actualisation du nouveau système de soins en émergence au Québec.

De fait, la santé publique et l'ergothérapie partagent de nombreux concepts. Ainsi, elles reconnaissent aux individus la capacité de se prendre en mains, l'importance des initiatives personnelles et de la participation active de la population et fondent leurs interventions sur les besoins des personnes concernées. De plus, toutes deux conçoivent la santé de façon biopsychosociale et les problèmes de santé comme multidimensionnels.

---

17. Charte d'Ottawa : www.phac-aspc.gc.ca/ph-sp/docs/charter-chartre/pdf/chartre.pdf.

En santé publique tout comme en ergothérapie, on considère que la santé résulte d'interactions constantes entre l'individu et son environnement, d'où l'importance d'un environnement sain et sécuritaire. La santé publique et l'ergothérapie présentent donc une compatibilité de philosophie évidente, reconnue d'ailleurs par les employeurs eux-mêmes :

> J'étais surprise de constater que, pour mes employeurs en santé communautaire, ma formation d'ergothérapeute était très proche de la manière d'aborder les dossiers de santé publique, à savoir ce qui est possible de faire compte tenu de la situation, résoudre les problèmes en ciblant les forces présentes et la capacité à trouver des « adaptations ».
>
> Témoignage tiré du sondage, août 2009

La santé publique est principalement concernée par la prévention de problèmes de santé et la promotion de la santé et du bien-être de la population. Les thérapeutes changent alors de rôle pour agir à titre d'agents de santé s'adressant à des populations, et non à des individus.

De façon plus spécifique, la prévention vise à réduire le risque d'apparition de maladies ou de traumatismes dans une population. On distingue la prévention primaire de la prévention secondaire. La première agit sur les causes d'un problème ou sur les facteurs de risque, alors que la deuxième vise à détecter au plus tôt les problèmes avant qu'ils n'aient pris trop d'ampleur, à en diminuer la prévalence et à en empêcher la progression et la durée.

Quant à la promotion de la santé et du bien-être, elle comprend les activités qui, s'appuyant sur les déterminants de la santé, visent à donner aux individus et aux communautés plus d'emprise sur leurs conditions de vie et des moyens d'améliorer leur santé.

La participation aux programmes de prévention et de promotion de la santé, fort nombreux, se fait le plus souvent en équipes interdisciplinaires. Nous retiendrons ici les activités de prévention et de promotion de la santé mises sur pied par des ergothérapeutes ou ayant subi de façon indéniable leur influence.

Force est de constater que les ergothérapeutes n'ont pas attendu les années 1990 pour orienter certains de leurs services vers la prévention et la promotion de la santé.

Chez les enfants

Au début des années 1970, le service d'ergothérapie du Montreal Children's Hospital s'implique à l'unité de soins intensifs de l'hôpital[18]. Les ergothérapeutes offrent alors un programme de stimulation pour les nouveau-nés amenés dans cet hôpital puis, graduellement, pour tous les bébés qui présentent un risque pour leur développement futur (asphyxie, hémorragie intracrânienne, traumatisme à la naissance, prématurité ou anomalie congénitale). Ces activités en néonatalogie auprès des nouveau-nés à risque s'inscrivent dans une perspective de prévention secondaire puisqu'elles visent à contrer les effets de la condition médicale des bébés sur leur développement ultérieur.

À la fin des années 1970, Donna Moore et Pearl Aronoff, ergothérapeutes à l'Hôpital Douglas, en collaboration avec un psychologue et un musicothérapeute, mettent sur pied une activité qui s'inscrit aussi dans une perspective de prévention secondaire. Il s'agit d'une garderie d'observation qui a pour objectif de prévenir des problèmes émotifs, de dépister précocement les enfants requérant une aide professionnelle[19].

En 1978, Francine Ferland développe une intervention éducative à l'intention des futurs parents dans le cadre de cours prénataux et ce, dans une perspective de promotion d'un développement harmonieux chez l'enfant[20]. Le sondage (voir annexe) nous apprend que ce type de service a été repris par d'autres ergothérapeutes par la suite.

À compter de 1986, Danielle Hourdeau œuvre auprès des nouveau-nés à risque au Centre hospitalier universitaire de Québec (CHUQ). Sa compétence en matière de dépistage des nouveau-nés à risque et de développement de l'enfant lui vaut d'être nommée en 2006 professeure agrégée de clinique à l'Université Laval[21].

Tout au long des années 1990, les ergothérapeutes embauchés dans les programmes enfance-famille-jeunesse des CLSC offrent divers services qui s'inscrivent dans une perspective de prévention et de promotion de

18. Harvey, S. (1980), Early intervention for neonates at risk Occupational Therapy involvement on the neonatal intensive care unit at Montreal Children's Hospital, *Le Transfert*, 4 (4), 19.

19. Saviez-vous que..., *Le Transfert*, 3 (3), 6, 1979.

20. Ferland, F. (1978), Implication d'une ergothérapeute dans des cours prénataux, *Revue canadienne d'ergothérapie*, 45, 71-74.

21. Deux professionnelles du CHUQ nommées à la Faculté de médecine de l'Université Laval, *Des nouvelles de notre monde*, 4 avril 2006.

la santé; ils font du dépistage de retard de développement dans les garde-ries, participent aux cliniques d'allaitement pour donner des notions de développement normal aux mères, animent des ateliers parents-enfants pour différents groupes d'âge et sur divers thèmes, par exemple: la gestion de l'horaire, l'expression de l'agressivité, le développement sensoriel.

À la fin des années 1990, le rôle de ces ergothérapeutes est cependant modifié en profondeur. Faisant désormais partie des intervenants de première ligne, on attend d'eux, comme des autres professionnels en place, qu'ils fassent une première évaluation des enfants requérant une attention spéciale afin de les diriger, au besoin, vers les services appropriés du réseau. Dorénavant, ce sont les enfants présentant une problématique dans les habitudes de vie (alimentation, habillage, déplacements, jeu…), dans leur développement sensoriel ou encore qui présentent des comportements perturbateurs qui sont vus par ces ergothérapeutes[22]. À la suite de la for-mation des CSSS en 2004, la quasi-totalité de ces ergothérapeutes se retrouve dans l'équipe TED-DI-DP[23], œuvrant donc auprès d'enfants présentant des besoins particuliers; ils agissent à titre de consultants et, de façon ponctuelle, répondent à des objectifs spécifiques.

Depuis le début des années 2000, Francine Ferland partage avec les parents et les éducateurs des centres de la petite enfance (CPE) diverses compétences de l'ergothérapeute, en publiant plusieurs livres à leur inten-tion aux Éditions du CHU Sainte-Justine. Les thèmes abordés sont, entre autres, l'analyse de l'activité, le développement normal, l'importance d'activités significatives dans le quotidien, la gestion de l'énergie, l'im-portance d'une interaction mutuellement satisfaisante entre l'enfant et ses parents. Ces publications s'inscrivent dans une perspective de promo-tion de la santé, valorisant un développement harmonieux chez l'enfant ainsi qu'une interaction parents-enfant de qualité.

En 2003, quatre ergothérapeutes, Patrick Major, Nathalie Valois, Adèle Morazain et Francine Ferland, élaborent une trousse pour faire la promotion du jeu et favoriser le développement harmonieux de l'enfant[24].

---

22. Desjardins, M. et Germain, J. (2010), Famille-enfance-jeunesse, équipe petite enfance ergothérapie: description de tâches, CSSS de Laval.
23. TED: troubles envahissant du développement; DI: déficience intellectuelle; DP: déficience physique.
24. Ferland, F., Major, P., Morazain, A. et Valois, N. (2003), *Le jeu, c'est génial*, Trousse produite par le CECOM de l'Hôpital Rivière-des-Prairies, avec le soutien de l'OEQ.

Cette trousse comprend deux vidéos, des grilles pour animer la discussion après visionnement et un livre sur le jeu, et s'adresse tant aux parents qu'aux éducateurs des CPE.

Depuis 2006, à la demande de l'éditeur du magazine mensuel *Bien grandir*, distribué gratuitement à tous les parents dont les enfants fréquentent un CPE, Francine Ferland rédige une chronique mensuelle sur le jeu. Cette chronique a pour objectifs d'aider les parents à offrir un contexte stimulant à leur enfant et de leur proposer des suggestions d'activités susceptibles de favoriser une bonne interaction parents-enfant.

En 2006, Brigitte LeBlanc, ergothérapeute à l'Hôpital Sainte-Justine, présente des chroniques quotidiennes à l'émission *Ma vie en mains*, à la télévision de Radio-Canada. En 2008, c'est l'émission *Parents avis*, au Canal Vox, qui requiert ses services pour une chronique hebdomadaire. Les sujets abordés sont fort variés, mais ont comme thème central l'enfant et son mieux-être.

Certaines cliniques privées offrant des services thérapeutiques aux enfants ont aussi un volet prévention et promotion de la santé sur leur site Web donnant des informations aux intervenants en CPE ou en milieu scolaire. À titre d'exemple, depuis 2004, le Centre régional d'ergothérapie pour le développement de l'enfant (CREDE) de Québec offre, tant aux écoles, aux CPE qu'aux associations, des *ergotrucs* sur leur site Web[25] : parmi ces trucs, on trouve des suggestions d'activités, des pistes d'observation, des informations relatives aux différentes sphères de développement de l'enfant. Également, une ergothérapeute, faisant partie de la clinique Ergothérapie Les Mille-Pattes, rédige des édu-conseils pour les parents et les éducateurs sur le site Éducatout[26].

Le sondage mené auprès des ergothérapeutes nous apprend aussi que la participation d'ergothérapeutes à des programmes de dépistage de problèmes de développement ou de comportement chez l'enfant est monnaie courante, que ce soit dans les garderies, les classes préscolaires ou les écoles. D'autres ergothérapeutes participent à des activités visant la prévention de retards de développement, entre autres en donnant de l'information sur le jeu et le développement de l'enfant dans les CPE. Certains font la promotion de bonnes postures et de bonnes habitudes relatives au port du sac à dos, dans les écoles régulières.

25. www.crede.ca
26. www.educatout.com/edu-conseils/ergotherapie/index.html

Chez les adultes

Dans les années 1980, un groupe d'étudiants de l'Université de Montréal sous la supervision d'Élisabeth Dutil conçoit une formule originale pour promouvoir une meilleure qualité de vie chez la population arthritique. Il s'agit du jeu *Arthritergo*[27] qui, mis sur le marché en 1985, s'adresse tant à la personne arthritique qu'à sa famille. Ce jeu enseigne aux joueurs des principes de protection des articulations, de gestion d'énergie ainsi que des activités quotidiennes. Une façon amusante et dynamique d'apprendre et d'agir en prévention secondaire. En 1987, les 500 copies produites (250, en français; 250, en anglais) sont épuisés.

En 1985, les ergothérapeutes de l'Hôpital du Sacré-Cœur préparent une affiche, «Principes de conservation de l'énergie et protection des articulations chez les personnes arthritiques», qui est encore utilisée aujourd'hui.

En 1996, l'ergothérapeute Susan Vincelli met sur pied la clinique Baby-boom au Centre Lucie-Bruneau[28]. La clinique change de nom en 1998 et devient la Clinique Parents Plus, mais poursuit la même mission: offrir aux parents ou futurs parents ayant une déficience physique ou neurologique les outils et le soutien nécessaires pour leur permettre d'accomplir leur rôle parental, contribuant de la sorte à leur intégration sociale. Susan Vincelli a également conçu un guide-ressource de conseils et d'aides techniques destiné à ces parents, qui a largement influencé un travail similaire fait en France en 2003, intitulé *Parentalité et handicap moteur*.

À compter de 1997, PRÉVICAP, un organisme à but non lucratif dont l'acronyme vient de PRÉVention de la situation du handICAP, offre des services de prévention et de réadaptation en incapacité de retour au travail en interdisciplinarité[29]. Cette équipe compte des ergothérapeutes, entre autres Marie-José Durand, l'une des fondatrices, qui est aussi professeure à l'Université de Sherbrooke, et Nicole Carpentier, ergothérapeute très active dans cet organisme. Dans le volet prévention, PRÉVICAP vise

27. Dutil, É., Lacroix, J., Leclair, K., Paradis, L., Pelletier, S. et Tétreault, S. (1985), Arthritergo, un jeu éducatif pour les personnes atteintes de maladies rhumatismales, *Le Transfert*, 9 (1), 6-8.
28. Clinique Parents Plus: www.luciebruneau.qc.ca/fr/main_nav/programmes/multiclienteles/pcs/parents-plus
29. www.previcap.com/quoi-de-neuf.php

l'absentéisme au travail causé, entre autres, par des troubles musculo-squelettiques (douleurs, inconforts au cou, aux membres ou au dos). Il offre non seulement une intervention précoce au travailleur par un programme personnalisé, mais aussi des solutions pratiques de prévention ou de correction ergonomique à l'employeur, pour lui permettre d'atteindre ses objectifs d'efficacité opérationnelle. Un bulletin trimestriel, *Le travail, ça se soigne*, est également publié sur son site Web.

Le sondage (voir annexe) nous apprend que de nombreux ergothérapeutes participent à la prévention des problèmes de dos. Certains le font en proposant des capsules sur le Programme de déplacement sécuritaire des bénéficiaires (PDSB) à divers organismes. D'autres abordent ce thème par des programmes en piscine. Ainsi, en 1995, Sophie Desrochers met sur pied le programme «À l'eau les maux» à l'Hôpital Maisonneuve-Rosemont[30]. D'autres enfin, comme Nicole Carpentier, prodiguent des conseils à ce sujet dans des magazines.

La prévention des maux de dos ne s'adresse pas qu'aux travailleurs, mais aussi aux parents d'enfants handicapés, aux préposés et aux intervenants à l'école, de même qu'aux éducatrices des CPE.

Dans ses études de maîtrise, sous la direction de Nicole Vézina de l'Université du Québec à Montréal, l'ergothérapeute Marie Laberge réalise un projet relatif à l'utilisation d'un siège assis-debout par les caissières des supermarchés. Les résultats publiés dans son mémoire[31] en 1997 semblent concluants : l'utilisation significative de ce siège entraîne une réduction des contraintes physiques. Un comité paritaire de la CSST mis sur pied en 1999 publie en 2004 un guide basé sur les travaux de maîtrise de Marie Laberge[32]. Malheureusement, encore aujourd'hui, les caissières sont toujours debout en Amérique du Nord, alors qu'elles sont assises à peu près partout dans le reste du monde. Comme quoi une démarche rigoureuse peut ne rien changer malgré des résultats positifs.

Un guide pratique d'accessibilité universelle est produit pour la Ville de Québec en 2003, et deux ergothérapeutes y participent. Il s'agit de

30. www.cpergotherapie.ca/fr/cpe_personnel.htm
31. Vézina, N., Laberge, M. et De Gruchy, F. (1997), Interventions ergonomiques dans deux supermarchés et étude de l'utilisation du banc assis-debout, Montréal, Université du Québec à Montréal, CINBIOSE.
32. www.csst.qc.ca/NR/rdonlyres/9E2C504D-9637-4446-B9FF-91DA2B9792 D8/2972/dc_200_16228.pdf

Claude Vincent, professeure à l'Université Laval et membre du Centre interdisciplinaire de recherche en réadaptation et intégration sociale (CIRRIS) et de Sylvie Tremblay, ergothérapeute à l'*Institut de réadaptation en déficience physique de Québec (IRDPQ)*. Une nouvelle édition de ce guide est produite en 2010 et Louise Martel, ergothérapeute à l'IRDPQ, y collabore[33]. Un environnement accessible favorise une meilleure qualité de vie pour tous les citoyens tout en facilitant l'intégration sociale des individus aux prises avec des limitations physiques.

En 2004-2005, Frédéric Loiselle collabore aux 144 émissions de *37,5*, un magazine de santé interdisciplinaire présenté à la télévision de Radio-Canada. Il y met à profit ses études en ergothérapie à McGill de même que sa formation en communication. On y apprécie tellement ses services qu'il devient l'animateur de l'émission pour la saison d'hiver. Frédéric Loiselle y présente des capsules thématiques et des mini-reportages sur des sujets touchant à l'ergothérapie, la réadaptation ou la promotion/prévention de la santé. À chaque émission, les téléspectateurs entendent parler d'ergothérapie et apprennent des trucs pour faciliter leur quotidien.

Pour sa part, Lucie Montpetit propose aux personnes souffrant de fatigue persistante une approche holistique pour se libérer de l'épuisement corps-cerveau. Publié en 2009, son livre grand public, *Se libérer de la fatigue persistante*[34], est basé sur sa pratique en ergothérapie.

Le sondage mené auprès des ergothérapeutes québécois nous apprend que, pour les activités de prévention et de promotion de la santé auprès de la population adulte, les ergothérapeutes utilisent les journaux locaux, les centres commerciaux, la radio, la télévision communautaire et, plus récemment, l'Internet. Les thèmes les plus fréquemment abordés sont la prévention des chutes et des maux de dos, l'hygiène posturale et la promotion de saines habitudes de vie.

33. http://ville.quebec.qc.ca/citoyens/propriete/amenagements_adaptes.aspx, consulté le 2 septembre 2011.
34. Montpetit, L. (2009), *Se libérer de la fatigue persistante*, Montréal, Les Éditions de l'Homme.

Chez les aînés

Dès la fin des années 1980, des ergothérapeutes, tels que Sylvie Scurti[35], s'intéressent à la prévention des chutes et à la sécurité à domicile chez les aînés.

Un programme de prévention des chutes est mis sur pied en 1996 sous la direction de Francine Trickey, ergothérapeute et alors agente de programmation, de planification et de recherche à la Direction de la santé publique de Montréal, avec Manon Parisien. Il s'agit du Programme intégré d'équilibre dynamique (PIED) qui est offert gratuitement aux personnes âgées de 65 ans et plus qui vivent à domicile, et qui ont fait une chute ou qui sont préoccupées par leur équilibre[36]. Les professionnels qui enseignent ce programme sont ergothérapeutes, physiothérapeutes, thérapeutes en réadaptation physique, éducateurs physiques et kinésiologues. Jusqu'à ce jour, environ 600 professionnels ont été formés dont environ le tiers sont des ergothérapeutes. Disponible dans tout le Québec, ce programme comprend trois volets : des exercices en groupe, des exercices à domicile et des capsules de discussion sur la prévention des chutes.

Un autre programme qui a pour nom Debout est conçu en 1996-1998 et implanté en 2000 au CLSC de Trois-Rivières par l'ergothérapeute Chantal Pinard[37]. Ce programme s'adresse aux personnes de 50 ans et plus vivant à domicile, qui sont à risque de faire une chute. Il s'inscrit dans une perspective de promotion de la santé et vise l'empowerment (l'autonomisation) des personnes. Pour ce faire, il utilise l'approche par les pairs : l'animation est donc faite par des aînés bénévoles qui sont formés par des professionnels de la santé. Ce programme comprend des activités et des ateliers de sensibilisation pour l'acquisition de saines habitudes de vie et l'adoption de comportements sécuritaires à domicile. Il est offert dans les clubs de l'âge d'or et dans d'autres organismes communautaires. Au départ, il était prévu qu'il soit sous la responsabilité d'un ergothérapeute et d'un organisateur communautaire. Compte tenu de la pénurie d'ergothérapeutes, d'autres professionnels se sont joints à ce programme

---

35. Scurti, S. (1989), Prévention des chutes et sécurité à domicile, *Le Transfert*, 13 (1), 18-19.
36. www.dsp.santemontreal.qc.ca/recherche.html, rechercher : Programme PIED.
37. Chantal Pinard est aujourd'hui agente de programmation, de planification et de recherche au CSSS Mauricie-Centre-du-Québec.

et on peut penser qu'il s'articulera autour d'une équipe interdisciplinaire dans le futur. L'intérêt des ergothérapeutes pour la sécurité des aînés inclut aussi la vidéosurveillance.

Au début des années 1990, Nicol Korner-Bitensky, alors chercheure au centre de recherche de l'Hôpital juif de réadaptation à Laval, propose un système de vidéosurveillance à domicile pour les personnes âgées à risque de chutes.

Hélène Pigot, professeure en informatique à l'Université de Sherbrooke, qui a également complété une formation en ergothérapie, s'intéresse aussi depuis le début des années 2000 à la télésurveillance, et plus spécifiquement à la conception d'un environnement dans lequel les personnes souffrant de handicaps pourront conserver plus longtemps leur autonomie. Le projet Domus (domotique et informatique mobile de l'Université de Sherbrooke) regroupe aujourd'hui quatre chercheurs. Conçu en collaboration avec le Centre de réadaptation de l'Estrie (CRE), le projet vise à développer des interfaces informatiques raffinées qui seront réparties dans les pièces de la résidence des personnes handicapées. Hélène Pigot en dit ceci :

> Les personnes aux prises avec des troubles cognitifs sont au cœur de nos préoccupations : les personnes âgées souffrant de démence, les jeunes schizophrènes ou les adultes ayant subi un traumatisme crânien. Incapables de trouver un encadrement et des soins suffisants, les jeunes déficients sont placés dès l'âge de 21 ans à l'Institut de gériatrie : un véritable non-sens ! Une résidence adaptée leur procurera une autonomie qu'ils n'auraient pas autrement. Si la personne oublie de prendre ses médicaments ou laisse le four en marche, le système émettra des messages écrits, vocaux ou lumineux pour lui rappeler ce qu'elle a à faire. Les technologies doivent être capables de communiquer avec les intervenants du CRE si la situation le justifie[38].

Par ailleurs, une équipe de chercheurs, dont Jacqueline Rousseau de l'Université de Montréal fait partie, a conçu un système de vidéosurveillance intelligente pour soutenir les aînés dans leur quête d'autonomie. Le prototype est constitué de caméras raccordées à l'ordinateur de la centrale du CLSC ou encore à celui d'une centrale de surveillance privée. Dès qu'une caméra détecte une activité anormale, comme une chute, le

38. www.usherbrooke.ca/sciences/recherche/portraits-de-chercheurs/helene-pigot

système déclenche instantanément une alarme, permettant ainsi une intervention rapide. L'implantation d'un tel système dans les domiciles des aînés présentant des problèmes moteurs est envisagée dans un proche avenir[39].

Un autre projet innovateur auquel a participé une ergothérapeute est le Réseau d'éclaireurs et de veilleurs pour les aînés (RÉVA)[40]. Ce programme relève du Centre de santé et de services sociaux (CSSS) du Lac-des-Deux-Montagnes et implique l'Institut universitaire gériatrique de Montréal (IUGM), dont l'ergothérapeute Nathalie Cartier. Ce programme forme des bénévoles-éclaireurs qui côtoient dans leur travail des personnes âgées et qui peuvent repérer, parmi celles-ci, celles qui sont à risque de perte d'autonomie. Des veilleurs bénévoles se rendent chaque semaine au domicile de ces aînés pour les épauler dans leur quotidien. Nathalie Cartier est l'auteure principale de la liste et de la description des indicateurs de perte d'autonomie qui servent d'aide-mémoire aux éclaireurs.

L'arthrite fait également l'objet d'un programme conçu conjointement par le Département de kinésiologie de l'Université de Montréal et le CLSC René-Cassin, en collaboration avec la Direction de santé publique de Montréal, des professionnels de plusieurs CLSC et de la Société d'arthrite. Manon Parisien, ergothérapeute, fait partie des concepteurs de *Mon arthrite, je m'en charge* et agit comme professionnelle de recherche et d'intervention. Il s'agit d'un programme d'auto-prise en charge des symptômes de l'arthrite, conçu pour les aînés en perte d'autonomie[41].

Les médias sont aussi utilisés pour véhiculer des messages s'adressant aux personnes âgées et visant à promouvoir une meilleure qualité de vie. Ainsi, Florence Seïde rédige, en 1988, un article pour la revue de l'âge d'or intitulé «S'il ne s'agissait que de couleurs: effets du vieillissement». Pour sa part, Yvan Bergeron, ergothérapeute à l'IUGM, participe en 2006 à l'émission télévisuelle *L'épicerie*. Dans son propos, il précise comment les tablettes des supermarchés devraient être placées pour faciliter tant les déplacements des personnes âgées que leur accès aux produits. De plus, il soulève la difficulté pour plusieurs aînés à ouvrir certains contenants, de lait par exemple.

39. www.nouvelles.umontreal.ca/recherche/sciences-de-la-sante/une-videosurveillance-intelligente-pour-les-personnes-agees.html
40. www.moncsss.com/pages/Reva/Qui_sommes-nous/page_01.htm
41. http://monarthrite.ca/fr/index2.aspx?sortcode=1.10

Une ergothérapeute pionnière en santé publique

Francine Trickey est la première ergothérapeute à être embauchée par la Direction de la santé publique : elle y œuvre depuis plus de vingt ans à titre de coordonnatrice et de gestionnaire. Au cours de toutes ces années, elle collabore à de nombreux projets, entre autres l'élaboration de guides pour aménager les milieux de vie, l'aménagement du domicile en vue de maintenir l'autonomie des aînés, l'implantation de logements protégés dans un HLM, l'élaboration d'un guide pour choisir un service de surveillance et, en collaboration avec la Société d'habitation du Québec, l'élaboration d'un cadre de référence pour la prévention des chutes dans un continuum de services pour les aînés vivant à domicile. Par ailleurs, elle est l'instigatrice du programme PIED. Voici le lien qu'elle voit entre l'ergothérapie et la santé publique :

« La formation très écosystémique en ergothérapie axée sur l'auto-nomisation des individus, leur réinsertion sociale et communau-taire constitue une assise très solide à la planification sociosanitaire en santé publique. »

La pratique privée

Dès 1965, Dorothy Notkin, ergothérapeute en pédiatrie, offre des services en pratique privée[42], pratique qui s'est surtout développée au cours des années 1980. Quelques ergothérapeutes commencent alors à recevoir des clients en pratique privée à titre individuel, mais on assiste aussi à la naissance de compagnies offrant leurs services à une clientèle diversifiée. Deux modèles de pratique se développent : l'un offre ses services dans le milieu de vie des patients (domicile, milieu de travail, école), œuvrant ainsi véritablement dans la communauté, et l'autre, de type traditionnel, basé sur le modèle des cliniques en physiothérapie, a pignon sur rue et y reçoit la clientèle.

Parmi les premiers services mis sur pied, mentionnons :

- les Services d'ergothérapie de Montréal (SEM) qui, dès 1981, embau-chent des ergothérapeutes contractuelles comptant au moins cinq ans d'expérience, pour offrir des services à des clients de tous âges dans leur milieu de vie ;

---

42. Ferland, F., Saint-Jean, M. et Weiss-Lambrou, R. (1984), L'ergothérapie auprès de l'enfant au Québec : d'hier à aujourd'hui, *Revue canadienne d'ergothérapie*, 51 (4), 192-196.

- Ergo-Plus inc. qui, à compter de 1984, offre ses services principalement aux personnes âgées ;
- Ergo-conseil qui débute aussi en 1984 et vise l'intégration au travail ;
- le Service privé d'ergothérapie à domicile (SPED) de Trois-Rivières qui s'intéresse, à partir de 1986, aux barrières architecturales, aux capacités fonctionnelles et qui offre aussi des études de besoins en ergothérapie.

À cette même époque, deux autres compagnies privées, Ergo Aide enr. et Ortho-Sport inc., conçoivent des aides techniques personnalisées pour leurs clients.

Au cours des années suivantes, plusieurs autres cliniques d'ergothérapie voient le jour. Elles reçoivent pour la plupart leurs clients dans leurs locaux. Parmi celles qui sont toujours en activité, mentionnons :

- l'Aide à l'autonomie physique et professionnelle (AAPP), mise sur pied par Ève Montpetit et Muriel Rousseau en 1986 ;
- la Clinique d'ergothérapie de Repentigny inc., mise sur pied par Claude Bougie en 1989 ;
- l'Ergothérapie de la maison à l'école, créée par Kathleen Sirard, Josée Leblanc et Nathasha Rouleau en 1995 ;
- le Centre régional d'ergothérapie pour le développement de l'enfant (CREDE), implanté à Québec par Marie-Josée Berberi en 1995 ;
- le Centre professionnel d'ergothérapie, mis sur pied en 1995 par Sophie Desrochers, Nathalie Brisebois, Barbara Shankland et André Perreault ;
- Option Enfance : Ergothérapie-conseil, que Patrick Major a fondé en 1997 ;
- le Groupe Ergo Ressources, mis sur pied par Sonya Côté et Magalie Rinfret en 1997.

Certaines cliniques se spécialisent dans le traitement de problématiques particulières. À titre d'exemple, Lucie Champoux et Sylvie Charron mettent sur pied en 1997 la Clinique d'ergothérapie en réadaptation de la main, qui dessert une clientèle de tout âge ayant subi une lésion traumatique ou pathologique à la main ainsi qu'aux membres supérieurs[43]. Par

43. www.ergothérapie-main.com/equipe.htm

ailleurs, nombre d'ergothérapeutes offrent leurs services dans des cliniques multidisciplinaires.

Au début de la pratique privée en ergothérapie, les clientèles desservies sont surtout des enfants en difficulté, des adultes devenus clients de la CSST à la suite d'un accident du travail ou de la SAAQ à la suite d'un accident automobile. Ces deux organismes sont d'ailleurs les principaux payeurs pour les services dans les cliniques privées. Il est plus difficile de trouver des organismes prêts à couvrir les frais des services pour des patients présentant des problèmes de santé mentale.

À cette époque, bien peu de compagnies d'assurances couvrent les services d'ergothérapie, comme en fait foi le rapport du comité *ad hoc* concernant les services offerts par les compagnies d'assurances publié dans *Le Transfert* en 1988. Des 24 compagnies ayant répondu au questionnaire que leur a adressé ce comité, six seulement indiquent clairement qu'elles couvrent des services offerts par un ergothérapeute. Ces services ne sont toutefois pas couverts à 100 % : certaines compagnies octroient 15 $ par traitement reçu, jusqu'à une concurrence de 20 séances par année. D'autres remboursent 25, 50, 75 ou 80 % du coût des services.

Quelques compagnies d'assurances s'adjoignent des ergothérapeutes comme conseillers en réadaptation lors de réclamations. Suzanne Paiement est la première ergothérapeute embauchée en 1987 par la compagnie Confédération Vie, dans le module de services d'invalidité longue durée.

Par ailleurs, la tarification est un sujet délicat pour les ergothérapeutes qui ne sont pas habitués de monnayer leurs services. Ils aimeraient bien que la CPEQ se prononce sur la question.

Au début des années 1990, alors que la CSST veut imposer une tarification aux ergothérapeutes en pratique privée, ceux-ci sentent le besoin de se regrouper en association, comme l'ont déjà fait les physiothérapeutes. Comme le rapporte Ève Montpetit en entrevue, c'est ainsi que naît l'Association québécoise des ergothérapeutes en pratique privée (AQEPP), dont les membres fondateurs sont, entre autres, Ève Montpetit, Martine Van Leeuwenkamp, Sonia Paquette et Estelle Bossé. Un bulletin d'information, *Le Privé*, est lancé pour les membres et est publié pendant quatre à cinq ans. L'AQEPP fait des démarches auprès des centrales syndicales pour que les services privés d'ergothérapie soient inscrits dans les conventions collectives. Ce n'est pas gagné d'avance puisque de telles démarches sont encore requises en 2001 et ce n'est qu'en 2003 que la Croix Bleue couvre les services d'ergothérapie[44].

En 1992, le premier répertoire des ergothérapeutes œuvrant dans le secteur privé est produit par l'OEQ. Chaque année, il est mis à jour. En 2002, il est intégré au site Web de l'OEQ. Dans le répertoire 1997-1999, 144 ergothérapeutes sont identifiés comme travaillant dans le secteur privé.

Actuellement, nombreuses sont les compagnies d'ergothérapie en pratique privée à annoncer leurs services à la population par l'intermédiaire d'Internet. D'ailleurs, en y cherchant *service en ergothérapie*, on sera probablement étonné du nombre de sites sur le sujet.

Les contributions humanitaires

Au cours des ans, plusieurs ergothérapeutes participent à des projets humanitaires, mettant leurs compétences cliniques au service de populations dans le besoin. Ainsi, à la fin de l'année 1959, des ergothérapeutes québécois sont appelés à intervenir à la suite d'une tragédie survenue au Maroc[45]. L'ingestion d'une huile frelatée, constituée d'un mélange d'huile d'olive ou de pistache et d'huile à moteur, vendue par des marchands à des pauvres provoque une paralysie chez 9150 personnes. Le Dr Gustave Gingras, alors directeur de l'École de réhabilitation à l'Université de Montréal, est demandé pour diriger l'équipe internationale d'intervention, dont Andrée Forget et Jeannette Hutchison feront partie.

En 1965, une autre mission est dirigée par le Dr Gingras, au Vietnam cette fois, dans le but de fonder un centre de réadaptation à Qui Nhon, maintenant Quy Nhon. Des ergothérapeutes québécoises, Hélène Bellemare et Micheline Vézina, se joignent à l'équipe au début des années 1970 pour évaluer et traiter des personnes handicapées, en plus de former le personnel local pour les assister. Le Dr Gingras favorise de jeunes diplômés car, selon lui, « mieux valait qu'ils n'aient pas acquis une longue habitude de l'autorité. [...] l'esprit d'initiative compenserait le manque d'expérience[46] » (p. 300).

44. Dossier sur le remboursement des services d'ergothérapie par les compagnies d'assurances, *Ergothérapie Express*, juin 2001, p. 7.
45. Hudon, F. (2004), *Histoire de l'École de réadaptation de l'Université de Montréal, 1954-2004*, Montréal, à compte d'auteur.
46. Gingras, *Combat pour la survie*, p. 300.

Andrée Forget au Maroc en 1959 (Archives d'Andrée Forget)

En 1980, l'IRM participe de nouveau à un projet de collaboration internationale. Deux ergothérapeutes, Louise De Serres et Louise Deschamps, s'envolent avec trois prothésistes vers le Nicaragua. Cette équipe constitue « *la brigada internacional de la salud* » (la brigade internationale de la santé) avec le mandat de monter un atelier de prothèses[47]. Ce pays des tropiques n'a qu'un seul centre de réadaptation. S'habituer à la chaleur humide et maîtriser une nouvelle langue sont les premiers défis à relever pour cette équipe. Comme la guerre civile a été longue, il lui faut, durant cette année de coopération, procéder à l'appareillage et à l'entraînement pré et post-prothétique d'une centaine de personnes, enfants et adultes, victimes de la guerre. Pour Louise De Serres, cette expérience a été très enrichissante. Ç'a été « un an à apprendre que la collaboration

47. De Serres, L. (2011), Projet Nicaragua OXFAM-IRM, trente ans déjà !, *Entre-Nous*, 2 (1), 6-7.

internationale, c'est un partage qui apparaît d'abord sur le plan technique, mais qui nous transforme surtout sur le plan humain».

Dans les mêmes années, une autre ergothérapeute, Susan Vincelli, participe à une mission de six semaines au Sénégal, au Mali et en République de Guinée. Cette mission est sous la responsabilité du Centre Lucie-Bruneau international. Ce court séjour lui permet d'évaluer les besoins des personnes pour l'entraînement au port d'une prothèse ou d'une orthèse. Mais l'aventure de coopération de cette ergothérapeute ne s'arrête pas là. Elle part en 1981 avec une équipe de la Croix-Rouge pour quatre mois à Erevan, en Arménie. Cette équipe a comme mandat d'aider à la réadaptation des personnes blessées à la suite d'un tremblement de terre.

À la demande du président de l'Association des Santas Casas du Brésil, l'Institut de réadaptation de Montréal (IRM) délègue, en 1998, Denise Mauger pour évaluer les services offerts aux patients dans différents milieux, comme à São Paulo, Rio de Janeiro, Brasilia et Goiânia. Comme elle le souligne en entrevue, une fois les besoins et les ressources déterminés, le premier mandat qui lui est confié par le gouverneur de l'État de Goiás est de collaborer à l'élaboration d'un programme de réadaptation pour les personnes ayant des déficiences physiques. Ce partenariat se poursuit jusque dans les années 2000. À titre de consultante, Denise Mauger y retourne à plusieurs reprises pour de courts séjours (2000, 2003, 2007, 2009).

En 1999 et 2000, Raymonde Hachey collabore au développement et à l'implantation d'un programme éducatif sur les groupes d'entraide auprès des personnes victimes des mines antipersonnel, en Bosnie et en République serbe. À la même époque, elle enseigne la théorie de base en ergothérapie et son application en santé mentale aux étudiants en psychologie de la Social State University of Moscow[48].

---

48. Hudon, F. (2004), *Histoire de l'École de réadaptation de l'Université de Montréal, 1954-2004*, Montréal, à compte d'auteur.

5

La recherche en ergothérapie

La recherche d'aujourd'hui déterminera en grande partie
le processus de la réadaptation de demain.

DAVID SHERMAN cité par Gustave Gingras[1]

Pendant très longtemps, la pratique en ergothérapie s'est appuyée sur
l'expérience et sur le jugement clinique. Au fil des ans, les ergothérapeutes
ont toutefois dû justifier le bien-fondé de leur pratique de façon plus
rigoureuse tant auprès des autres professionnels de la santé que des administrateurs. La recherche devient alors une démarche incontournable pour
assurer l'évolution et la survie de la profession.

La recherche n'est pas encore au rendez-vous

Dans les années 1950 et 1960, le volet recherche est encore inexistant en
ergothérapie, appelée « thérapie d'occupation » à l'époque. Les priorités
sont avant tout de mettre en place les nouveaux programmes universitaires
de formation et d'implanter l'ergothérapie dans les milieux cliniques, et
ce, avec des effectifs très réduits. La mission première de ces programmes
est donc la formation des ergothérapeutes (« thérapeutes d'occupation »).

---

1. Gingras, G. (1975), *Combats pour la survie*, Paris, Robert Laffont, 383 p.

Pour ce faire, des cliniciennes expérimentées, mais sans formation en recherche, sont embauchées pour enseigner.

Toutefois, au début des années 1960, une ergothérapeute clinicienne à l'Institut de réhabilitation de Montréal (IRM), Thérèse Simard, décide de poursuivre des études aux cycles supérieurs. Après avoir complété sa maîtrise au Michigan et son doctorat en 1967 à Kingston, en Ontario, elle est invitée par le Dr Gustave Gingras à mettre sur pied un laboratoire de recherche à l'IRM. Elle s'intéresse, entre autres, aux mécanismes sous-jacents à la préhension fine. Une fois sa formation complétée, le département d'anatomie de l'Université de Montréal lui donne la responsabilité des cours d'anatomie destinés aux étudiants de l'École de réhabilitation.

Les débuts

Dans les années 1970, la recherche et les études supérieures deviennent partie intégrante de la mission des écoles de réadaptation. Les programmes universitaires mettent en place diverses stratégies pour assurer l'essor de la recherche, non pas exclusivement en ergothérapie, mais aussi en réadaptation.

Une formation aux cycles supérieurs pour les professeurs

Pendant plusieurs années, les professeurs en ergothérapie ne détiendront qu'un baccalauréat dans cette matière. Dans les années 1970, tous doivent faire des études de 2e cycle. Ainsi, neuf professeurs à l'Université de Montréal quittent leur poste à tour de rôle le temps de poursuivre leurs études. Au fil des ans, l'Université Laval soutient financièrement non seulement les professeurs qui font des études de 2e cycle, mais aussi ceux qui font des études doctorales. À l'Université McGill, de tels congés de perfectionnement ne sont pas offerts aux professeurs, ce qui ne les empêche pas de faire des études doctorales et d'être assurés de conserver leur poste.

À cette époque, comme il n'existe pas de programme de cycles supérieurs en ergothérapie au Canada, quelques professeurs optent pour des études aux États-Unis, mais pour la majorité, le perfectionnement au 2e cycle se fait dans d'autres disciplines : anatomie, criminologie, éducation, ergonomie, gérontologie, physiologie, psychiatrie, psychologie, santé communautaire, service social, mesure et évaluation. Ce type de formation issu des sciences fondamentales, sciences humaines et d'autres disciplines, joue un rôle déterminant dans l'orientation des recherches menées ultérieurement par ces professeurs en ergothérapie. Pour Nicol Korner-Bitenski[2], « cela a amené l'ergothérapeute à s'intégrer au sein d'équipes multidisciplinaires, à avoir un langage commun et à découvrir de nouveaux concepts qui influenceront les recherches ultérieures ». À la fin de la décennie 1970, la majorité des professeurs détiennent un diplôme de 2e cycle.

Le doctorat, un incontournable

Au début des années 1980, le doctorat devient le critère d'embauche pour les nouveaux professeurs. Les premiers professeurs détenteurs d'un doctorat et d'une formation en recherche sont très en demande pour les trois programmes de formation. À l'Université McGill, la première professeure détenant un doctorat à occuper un poste est Erika Gisel, en 1983, suivie de Patricia Lynne Weiss, en 1985. À l'Université de Montréal, Daniel Bourbonnais est le premier à compléter de telles études en 1984 et, à l'Université Laval, c'est Sylvie Tétreault qui obtient son doctorat en 1991. Afin de mieux préparer les professeurs à une carrière de chercheur autonome, les universités encouragent les candidats détenteurs d'un doctorat à poursuivre des études postdoctorales. Avec une telle formation en recherche, plusieurs professeurs se voient attribuer une bourse de chercheurs-boursiers. Tout comme le souligne Julien Prud'homme[3], « cette évolution entraîne un renouvellement progressif du personnel et transforme les écoles universitaires, jadis animées par des cliniciens, en un milieu de chercheurs ».

---

2. Nicol Korner-Bitenski est actuellement chercheure au Centre de recherche interdisciplinaire en réadaptation du Montréal métropolitain (CRIR) et professeure à l'École de physiothérapie et d'ergothérapie de l'Université McGill.
3. Prud'homme, J. (2007), *Pratiques cliniques, aspirations professionnelles et politiques de la santé. Histoire des professions paramédicales au Québec, 1940-2005*, Thèse de doctorat, Université du Québec à Montréal, p. 350.

Des ergothérapeutes-chercheurs boursiers

Les professeurs qui obtiennent une bourse de chercheur au cours des ans sont :

- Université Laval : Clermont Dionne, Catherine Mercier et Claude Vincent ;
- Université McGill : Isabelle Gélinas, Nicol Korner-Bitenski, Bernadette Nedelec et Laurie Snider ;
- Université de Montréal : Daniel Bourbonnais, Catherine Briand, Louise Demers, Lise Poissant et Annie Rochette ;
- Université de Sherbrooke : Johanne Desrosiers et Marie-José Durand.

La mise en place de programmes d'études aux cycles supérieurs

Comme le noyau de professeurs en ergothérapie est restreint et qu'ils font partie d'écoles de réadaptation, un regroupement se fait avec les professeurs de physiothérapie pour la mise en place de programmes aux cycles supérieurs.

Des programmes de maîtrise et de doctorat reliés à la réadaptation

La School of Physical and Occupational Therapy de l'Université McGill accueille ses huit premiers étudiants en 1972, à l'intérieur du programme Master of Sciences Applied in Health Sciences Rehabilitation. Ce programme est accepté officiellement en 1976[4]. En janvier 1989, un programme de doctorat en sciences de la réadaptation, Rehabilitation Science, est mis sur pied ; il s'agit du premier programme de doctorat au Canada[5]. Grâce à ces programmes, la formation à la recherche, spécifique à la réadaptation, est désormais possible.

Le premier programme francophone de 2e et 3e cycles est implanté à l'Université de Montréal en 1980. L'École de réadaptation avait souhaité avoir son propre programme de maîtrise, mais après analyse, elle s'insère dans le programme de sciences cliniques de la Faculté de médecine. À l'acquisition des compétences en recherche clinique que ce programme

---

4. Archives personnelles de Beverlea Tallant : McGill University, *History of School of Physical and Occupational Therapy.*
5. Inauguration du programme de Ph. D. à l'Université McGill, *Le Transfert*, 13 (2), 17, 1989.

visait, s'ajoute dorénavant l'avancement des sciences de la réadaptation. Réjean Prévost est le premier ergothérapeute à s'inscrire à cette maîtrise en 1980. En 1988, des programmes de maîtrise et de doctorat en sciences biomédicales (option réadaptation) sont créés en collaboration avec la Faculté de médecine et la Faculté des études supérieures[6].

Au cours de la décennie 1980, parmi les 20 étudiants de l'École de réadaptation de l'Université de Montréal qui complètent un mémoire de maîtrise, 13 sont supervisés par des professeurs du programme d'ergothérapie[7]. Les mémoires et les thèses des étudiants sont axés sur des problématiques cliniques. À titre d'exemple, on trouve l'image corporelle des femmes anorexiques, l'étude de l'impact d'une thérapie de groupe utilisant le jeu de rôle sur les attitudes et l'environnement familial des mères psychotiques, la coordination motrice des membres inférieurs chez l'hémiplégique.

Mais l'École de réadaptation souhaite toujours avoir son propre programme d'études aux cycles supérieurs, et ce, dans le but d'être plus autonome et de mieux répondre aux besoins de la clientèle en réadaptation[8]. De plus, grâce à de nouveaux programmes de formation à la recherche, l'École de réadaptation veut augmenter sa visibilité et accroître sa capacité d'attraction auprès d'étudiants, tant sur le plan local que national et international. Des actions sont entreprises dans ce sens dans les années 1990, mais ce n'est qu'en 2010 que le programme de recherche de 2e et 3e cycles en sciences de la réadaptation est accepté par les différentes instances et qu'une première cohorte de 11 étudiants est admise[9].

La direction des étudiants se fait souvent en collaboration avec des professeurs d'autres disciplines. Les professeurs en ergothérapie participent aussi à la supervision d'étudiants provenant d'autres départements, entre autres l'aménagement, la physiologie et les sciences infirmières. Cette collaboration est très riche pour les deux parties et, dans bien des cas, elle génère des partenariats fructueux pour le développement de projets de recherche.

6. Bourbonnais, D., Piotte, F. et Arsenault, A. B. (2004), *La recherche et les études aux cycles supérieurs à l'École de réadaptation, 50e anniversaire 1954-2004*, Faculté de médecine, École de réadaptation, Université de Montréal.
7. *Ibid.*
8. École de réadaptation (octobre 2008), *Projet des nouveaux programmes de recherche aux cycles supérieurs (M. Sc. et Ph. D.)*, Faculté de médecine, École de réadaptation, Université de Montréal.
9. *Ibid.*

À l'Université Laval, en l'absence de programme d'études aux cycles supérieurs au sein de leur département, les professeurs en ergothérapie établissent des collaborations avec d'autres départements comme l'épidémiologie, la kinésiologie, la médecine expérimentale et la santé communautaire. Tel que rapporté par Louis Trudel, professeur au programme d'ergothérapie à cette époque, le programme de maîtrise en santé communautaire fait l'objet d'un projet d'exploration par les professeurs du programme d'ergothérapie vers la fin des années 1980. Louis Trudel est le premier à y participer, d'abord comme membre d'un sous-comité d'élaboration, chargé de définir la place de la réadaptation dans le programme, puis comme membre du comité de programme lorsque celui-ci est implanté. En 1998, un volet réadaptation est inséré dans le programme de médecine expérimentale. Entre-temps, des professeurs en ergothérapie sont agréés pour superviser des étudiants dans divers autres programmes, tels que l'épidémiologie, le service social, la gérontologie.

Au début des années 1990, un nouveau programme de formation aux cycles supérieurs est offert par la Faculté de médecine de l'Université de Sherbrooke : le programme de 2ᵉ cycle en gérontologie, qui attire beaucoup d'ergothérapeutes intéressés par la recherche auprès des personnes âgées. Puis, un doctorat en gérontologie voit le jour en 2004. À compter de 2000, on offre aussi un programme de maîtrise en pratiques de la réadaptation, au campus Longueuil. À compter de 2008, ce programme relève de l'École de réadaptation de l'Université de Sherbrooke. Un diplôme de 3ᵉ cycle interuniversitaire sur la prévention des incapacités au travail y est également créé en 2002, entre autres par Marie-José Durand[10], ergothérapeute, et Patrick Loisel, médecin. Ce diplôme vise à développer les connaissances, les habiletés et les attitudes nécessaires aux futurs chercheurs pour agir en transdisciplinarité dans ce domaine de recherche. Les deux programmes (maîtrise et diplôme de 3ᵉ cycle) s'adressent aux différentes disciplines de la réadaptation.

À partir de 2001, l'Université de Montréal offre un diplôme d'études supérieures spécialisé (DESS) Petite enfance et approche interprofession-

---

10. Marie-José Durand est actuellement directrice du Centre d'action en prévention et en réadaptation de l'incapacité au travail (CAPRIT) et professeure à l'École de réadaptation de l'Université de Sherbrooke.

nelle[11]. Le programme est axé sur une démarche clinique menant à la prise en charge du jeune enfant en difficulté de développement et de sa famille, et ce, selon une perspective interprofessionnelle. Il s'adresse aux personnes qui ont une formation de 1er cycle dans un domaine ou l'autre des sciences de la santé et des sciences sociales qui comporte un volet lié à la petite enfance. Julie Gosselin participe non seulement à la création de ce programme mais en assure aussi la direction dès ses débuts. Depuis 2007, cette formation relève de l'École de réadaptation. À ce jour, plus d'une cinquantaine d'étudiants ont complété cette formation.

Un autre programme voit le jour en janvier 2006 à l'Université McGill, soit un certificat de 2e cycle en conduite automobile. Comme ce domaine exige des compétences particulières, l'École de physiothérapie et d'ergothérapie de l'Université McGill, le Centre de réadaptation Constance-Lethbridge, l'Ordre des ergothérapeutes du Québec (OEQ) et la Société de l'assurance automobile du Québec (SAAQ) s'associent pour élaborer une formation à distance. Le programme de cours, d'une durée de 18 mois, est offert en anglais et en français. À compter de janvier 2010, les cliniciens ont accès à une bourse offerte par la SAAQ. Depuis la création de ce programme, 107 ergothérapeutes ont suivi cette formation.

Évolution du nombre d'étudiants aux cycles supérieurs

Les programmes aux cycles supérieurs mis en place au début des années 1980 gagnent en maturité et en renommée, et attirent de plus en plus de candidats, principalement au 2e cycle.

Ainsi, à l'Université de Montréal, dans le cadre du programme Sciences biomédicales (option réadaptation), le nombre d'ergothérapeutes obtenant un diplôme de 2e cycle dans les années 1980 est de 13 et ce nombre augmente à 30 dans les années 1990. Dans la décennie 1990, trois ergothérapeutes y obtiennent un doctorat[12]. De 2000 à 2010, 46 étudiants ayant une formation de base en ergothérapie obtiennent une maîtrise et 11 autres sont sur le point de l'obtenir ; un doctorat est décerné à 7 étudiants et 2 autres sont sur le point de l'obtenir. À l'Université Laval, pas moins d'une

11. www.etudes.umontreal.ca
12. Bourbonnais, D., Piotte, F. et Arsenault, A. B. (2004), *La recherche et les études aux cycles supérieurs à l'École de réadaptation, 50e anniversaire 1954-2004, op. cit.*, p. 16-25.

soixantaine d'étudiants ont été supervisés par des professeurs d'ergothérapie à ce jour. Comme nous en informe Isabelle Gélinas, directrice du programme des études supérieures à l'École de physiothérapie et d'ergothérapie de l'Université McGill, le nombre de diplômés en réadaptation (ergothérapie et physiothérapie) à cette université augmente de façon importante. De 1992 à 2002, 55 étudiants obtiennent une maîtrise et 14 un doctorat, et de 2002 à 2010, ces chiffres montent respectivement à 65 et 16.

La recherche prend son envol

La recherche et les études supérieures deviennent partie intégrante de la mission des écoles de réadaptation vers la fin des années 1970. Il s'agit dès lors de concevoir des stratégies pour accroître la recherche en ergothérapie. Parallèlement, dans les écoles de formation et les centres de recherche, différentes stratégies sont mises de l'avant pour sensibiliser les cliniciens à l'importance de la recherche.

Structuration de la recherche

Pour développer la recherche, des mécanismes internes doivent être mis en place dans les départements de réadaptation. De même, des rapprochements doivent être faits entre les établissements de soins et les universités.

De l'université aux milieux cliniques

Parallèlement aux programmes de formation aux cycles supérieurs, il faut développer la recherche dans les départements de réadaptation. Cela implique d'établir des infrastructures, telles qu'un comité de recherche, un comité d'éthique et des laboratoires. La mise en commun des ressources humaines et physiques des deux programmes (physiothérapie et ergothérapie) est l'avenue préconisée.

À l'Université de Montréal, le comité de recherche de l'École de réadaptation est créé en 1978[13]. Il élabore une politique interne pour faire

13. Rapport annuel de l'École de réadaptation, Faculté de médecine, Université de Montréal, 1978.

émerger la recherche dans le département. Un guide du chercheur est également préparé par ce comité pour les professeurs en place. Durant la même période, la direction de l'École de réadaptation de l'Université Laval crée un comité de recherche et lui donne comme mandat d'effectuer une analyse de la situation et de faire des recommandations à l'université en vue d'implanter la recherche au sein du département[14].

Vers la fin des années 1970, les professeurs détenteurs d'un diplôme de 2e cycle, très motivés et enthousiastes face à la recherche, n'hésitent pas à faire des demandes de fonds internes pour réaliser un premier projet. Des tentatives sont faites pour mettre sur pied des laboratoires de recherche dans les écoles de formation (Université McGill et Université de Montréal): laboratoire en micro-informatique, laboratoire en rétroaction biologique, salle d'entrevue pour les patients. Mais comme la recherche est encore peu structurée au sein des départements, les professeurs en ergothérapie font souvent face à l'absence de ressources physiques (espaces, équipement) et humaines (secrétariat).

Pour véritablement démarrer la recherche clinique en ergothérapie, ils réalisent rapidement le besoin d'établir des partenariats avec les cliniciens et de se diriger vers des centres de recherche existants. Fort heureusement, cette percée dans les milieux cliniques est encouragée par les directeurs des écoles et est facilitée, quand elle existe, par une affiliation entre un établissement de santé et un centre de recherche.

Vers les centres de recherche

Dans les années 1980, on retrouve quelques ergothérapeutes au Centre de recherche de l'Institut de réadaptation de Montréal (IRM) et quelques années plus tard, à celui de l'Hôpital juif de réadaptation (HJR), situé à Laval. Étant en nombre très restreint au début des années 1980, les professeurs qui se dirigent vers les centres de recherche doivent relever de nombreux défis. Au départ, ils doivent se tailler une place parmi les autres disciplines existantes: entre autres, psychologie, médecine, physiothérapie. Également, le nouveau chercheur doit mettre sur pied son laboratoire, faire des demandes de subvention, nouer une relation de partenariat

14. École de réadaptation, *Plan quinquennal de développement de l'enseignement et de la recherche*, présenté au Conseil de l'Université Laval, 31 mars 1978.

avec les cliniciens, sans oublier de participer à l'enseignement à l'université. La charge d'enseignement n'est pas toujours allégée.

Alors que dans la précédente décennie, un nombre restreint de chercheurs ergothérapeutes se retrouve dans des centres de recherche en réadaptation physique, nous assistons dans les années 1990 à une représentation de ceux-ci dans d'autres secteurs d'activités tels que la gériatrie (Centres de recherche des instituts universitaires de gériatrie de Montréal et de Sherbrooke), la prévention et la réadaptation au travail (Centre PRÉvention de la situation du handiCAP au travail [PREVICAP]), la pédiatrie (Institut de recherche–Hôpital de Montréal pour enfants ; Groupe de recherche en sciences intégratives du comportement et du développement et Groupe de recherche en croissance fœtale–Hôpital Sainte-Justine) et la psychiatrie à la division psychosociale du Centre de recherche de l'Hôpital Douglas. Dans les années 2000, des chercheurs en pédiatrie se retrouvent aussi au Centre universitaire de santé McGill. En santé mentale, le Centre de recherche Fernand-Seguin de l'Hôpital Louis-Hippolyte Lafontaine accueille ses premiers chercheurs en ergothérapie, tout comme l'Institut de recherche en santé mentale de Québec, anciennement Centre de recherche Robert-Giffard.

Comme les centres de recherche sont situés dans les établissements de soins, les rapprochements entre chercheurs et cliniciens sont plus faciles et les recherches sont axées sur des problématiques cliniques. Dans les débuts, les cliniciens ont d'ailleurs une foule de questions à soumettre aux chercheurs et ils démontrent beaucoup d'enthousiasme pour participer à l'élaboration de projets et à la collecte de données. Les collaborations avec les cliniciens s'avèrent fructueuses. Monique Audet, chef du service d'ergothérapie à l'IRM à l'époque, en dit :

> La recherche a beaucoup aidé notre milieu clinique à avancer. Les ergothérapeutes participaient à des projets de recherche, étaient sollicités pour des collectes de données. Comme on leur demandait d'utiliser de nouveaux outils, cela les obligeait à se questionner, à être plus critiques.

La création de réseaux et de consortiums de recherche

La création des réseaux et consortiums de recherche vient enrichir les stratégies mises en place au cours des décennies précédentes. Les réseaux sont créés au début des années 1990. Pour la région de l'Est, le Consortium de recherche en adaptation-réadaptation de l'Est-du-Québec (CORREQ) voit le jour et, pour la région de l'Ouest, le Réseau de recherche en adaptation-réadaptation de Montréal et de l'ouest du Québec (RRRMOQ) est mis en place. Ils sont remplacés, en 1994, par le Réseau provincial de la recherche en adaptation-réadaptation (REPAR)[15]. Depuis sa création en 1994, plusieurs chercheurs en ergothérapie et des ergothérapeutes cliniciens se retrouvent au REPAR en tant que membres chercheurs réguliers et membres cliniciens, et certains siègent au fil des ans au conseil administratif et au comité scientifique.

Au cours des années 1990, des ergothérapeutes sont aussi membres, à titre de chercheurs et de cliniciens, d'autres réseaux, comme le Réseau en géronto-gériatrie, créé en 1995-1996, devenu maintenant le Réseau québécois de recherche sur le vieillissement.

Au début des années 2000, les ergothérapeutes peuvent bénéficier d'une autre structure de recherche en réadaptation, soit des consortiums ; le Centre de recherche interdisciplinaire en réadaptation du Montréal métropolitain (CRIR) et le Centre interdisciplinaire de recherche en réadaptation et intégration sociale (CIRRIS) à Québec[16]. Contrairement aux centres de recherche mentionnés précédemment, ces consortiums travaillent en partenariat avec plusieurs établissements de réadaptation et regroupent des chercheurs de diverses disciplines provenant des universités Laval, McGill, de Montréal et du Québec. Les chercheurs mettent en commun leurs infrastructures et leurs savoirs. Le nombre de chercheurs ergothérapeutes et de cliniciens membres de ces deux consortiums augmente au fil des ans. À titre d'exemple, lors de la création du CRIR en 2000, 7 ergothérapeutes en étaient membres et, en 2009, on compte 17 chercheurs et 9 ergothérapeutes cliniciens[17]. Et tant les consortiums que

---

15. Richards, C. (1999), L'impact du réseau provincial de recherche en adaptation-réadaptation (REPAR) sur la recherche au Québec, *Revue québécoise d'ergothérapie*, 8 (2), 64-65.

16. Le Centre de recherche interdisciplinaire en réadaptation du Montréal métropolitain (CRIR), *Recherche en santé*, n° 23, 14-15, 2000. Le Centre interdisciplinaire de recherche en réadaptation et intégration sociale (CIRRIS) de l'IRDPQ, *Recherche en santé*, n° 23, 16-17, 2000.

17. Centre de recherche interdisciplinaire en réadaptation du Montréal métropolitain (CRIR), *Statistiques des membres chercheurs et cliniciens du CRIR*, Montréal, CRIR, 10 décembre 2010.

le REPAR jouent un rôle déterminant dans l'orientation des recherches en adaptation-réadaptation.

Des problématiques particulières

Au tout début, l'identification des thématiques de recherche est tout un défi, car il faut considérer plusieurs facteurs, notamment les politiques et priorités gouvernementales en matière de réadaptation, les besoins de la population, les politiques d'octroi de certains organismes et l'expertise des chercheurs. Dans les écoles de formation, on tente à maintes reprises de trouver un thème général qui conviendrait aux deux disciplines (ergothérapie et physiothérapie). Cela suscite bien des débats, car les orientations de la recherche sont multiples et les besoins très variés dans ces deux disciplines.

On s'interroge aussi sur le choix d'un modèle unificateur pour développer les thématiques de recherche en réadaptation et structurer les axes de recherche. En 1996, le REPAR retient le processus de production du handicap (PPH), élaboré par Fougeyrollas et coll., et adopté dans plusieurs milieux cliniques. Ce choix permet dorénavant de considérer non seulement les incapacités mais aussi les habitudes de vie et l'environnement. De plus, le PPH permet d'établir un langage commun entre les cliniciens et les chercheurs provenant de différentes disciplines.

On assiste cependant à un débat idéologique entre la recherche de type quantitative et qualitative, deux approches fondées sur des perspectives épistémologiques différentes. Alors qu'elles pourraient être complémentaires, elles sont présentées en opposition l'une par rapport à l'autre[18]. Plusieurs questionnent la pertinence d'une approche quantitative pour étudier des phénomènes aussi complexes que la dynamique de la personne en activité, et ce, dans divers environnements. Anne Lang-Étienne donne son point de vue sur cette dichotomie:

> Un des points qui me préoccupe sur le plan de la recherche, c'est qu'elle confine l'ergothérapie essentiellement à un niveau quantitatif. Et il y a plein de choses qu'on passe sous silence, car non mesurables. Notamment lorsqu'on parle du processus de l'activité, c'est-à-dire ce qui est vécu pendant l'activité. C'est essentiellement qualitatif[19].

18. Hébert, L., Saint-Jean, M. et Haché, J. B. (1999), La recherche en ergothérapie: est-ce une question de méthode?, *Revue québécoise d'ergothérapie*, 8 (2), 46-49.
19. Anne Étienne - Mention d'excellence 1987, *Le Transfert*, 11 (4), 23.

Actuellement, on voit un intérêt à intégrer les deux types de méthodologie dans les programmes de recherche.

Des stratégies pour sensibiliser les cliniciens à la recherche

Parallèlement à toutes les démarches faites pour structurer la recherche, des actions sont entreprises pour sensibiliser les cliniciens à l'importance de celle-ci. Ces actions sont menées par les programmes universitaires en réadaptation, notre regroupement professionnel, un regroupement d'ergothérapeutes (comité *ad hoc* de la recherche) et les milieux cliniques.

À plusieurs reprises, les présidentes, dans leur éditorial publié dans *Le Transfert* et la *Revue québécoise d'ergoth*érapie (1987, 1997, 1998, 1999), soulignent l'importance de la recherche pour l'évolution de la profession.

De concert avec la Corporation professionnelle des ergothérapeutes du Québec (CPEQ), les universités veulent sensibiliser les ergothérapeutes à l'approche scientifique. Ainsi, en juin 1977, le comité d'éducation de la CPEQ, composé d'un représentant de chaque université, organise sa première conférence sur la Recherche en ergothérapie. Judy Gane, ergothérapeute, y livre ses réflexions personnelles sur la nécessité et l'urgence de faire de la recherche, et elle propose une démarche visant à en établir un plan. Selon elle, « c'est la recherche qui va déterminer notre voie et une stratégie systématique à long terme est nécessaire pour favoriser l'évolution de notre profession[20] ». La même année, un ergothérapeute américain, Franklin Stein, Ph. D., est invité à donner un cours de 28 heures à Montréal intitulé « Application of research methods to clinical problems in occupational therapy ». Lors de la première rencontre interuniversitaire des trois programmes d'ergothérapie (Laval, McGill et Montréal), en avril 1982, la recherche est le thème retenu pour discussion : « Le futur de l'ergothérapie – les priorités, la direction et la recherche. »

Au début des années 1980, on tente de sensibiliser les ergothérapeutes à l'importance d'utiliser des outils valides dans leur pratique. Comme moyen d'action, le comité de formation continue de la CPEQ organise en 1981 un cours sur les principes généraux de la mesure et de l'évaluation

---

20. Corporation professionnelle des ergothérapeutes (1977), *Réflexions personnelles sur la recherche en ergothérapie*, Comité d'éducation, Communication faite par Judy Gane.

avec un expert dans ce domaine, Fernand Boucher, de l'Université de Montréal.

En 1988, l'École de physiothérapie et d'ergothérapie de l'Université McGill tient un colloque sur la recherche en réadaptation afin de faire connaître aux cliniciens, aux professeurs et aux étudiants les recherches menées par les étudiants des 2e et 3e cycles. Au fil des ans, ce colloque connaît beaucoup de succès et se tient par la suite tous les deux ans. Un prix d'excellence vient récompenser l'étudiant qui y fait la meilleure présentation.

En décembre 1991, pour sensibiliser davantage les ergothérapeutes cliniciens à la recherche, une chronique voit le jour dans *Le Transfert*, puis se poursuit dans la *Revue québécoise d'ergothérapie* jusqu'en 2000. Sylvie Tétreault, professeure du programme d'ergothérapie de l'Université Laval, y contribue de façon importante en signant 15 des 20 chroniques publiées. Mentionnons quelques titres : « Et si la recherche devenait un défi au quotidien pour l'ergothérapeute », « Préparer une conférence scientifique efficace, intéressante et stimulante », « Comment lire un article scientifique ».

En 1996, la Journée Gustave Gingras, pendant laquelle les étudiants présentent leur protocole de recherche, est instaurée à l'École de réadaptation de l'Université de Montréal. Les cliniciens y sont conviés. Cette journée se termine par la présentation d'un conférencier renommé dans le domaine de la réadaptation. Dans les années 2000, le programme d'ergothérapie de l'Université de Montréal instaure des journées clinico-universitaires dans le but de consolider les échanges entre les milieux cliniques et les programmes de formation universitaire. À l'Université Laval, des journées similaires se tiennent depuis 2009 à l'occasion de la Conférence d'honneur Nicole Ébacher.

En 1994, un comité *ad hoc* composé de professeurs des universités Laval, McGill, de Montréal et de Sherbrooke, d'un étudiant à un cycle supérieur et de deux cliniciens est formé. Il vise à développer, promouvoir et valoriser la recherche chez les ergothérapeutes[21]. Sous le thème « La recherche en ergothérapie, ça me concerne », ce groupe propose des soirées d'échanges et d'information.

---

21. Dutil, É., Desrosiers, J., Majnemer, A., Rousseau, J., Hébert, L., Robichaud, L. et Gauthier, J. (1999), Rétrospective des travaux du groupe de travail sur la recherche de l'Ordre des ergothérapeutes du Québec, *Revue québécoise d'ergothérapie*, 8 (5), 6-60.

Pour mieux connaître les activités de recherche réalisées par les ergothérapeutes, ce comité *ad hoc* procède à deux enquêtes auprès de membres de l'OEQ. La première, effectuée en 1998, porte sur le profil de formation et de recherche des ergothérapeutes québécois ayant fait des études de 2ᵉ et 3ᵉ cycles, sur les bourses d'études obtenues et les activités spécifiques de recherche[22]. Cette enquête révèle que les diplômes obtenus sont très variés et que leur nombre croît depuis le début des années 1990. D'autres résultats de cette enquête seront présentés plus loin. La deuxième enquête tente de déterminer les facilitateurs et les obstacles à la recherche en milieu clinique[23]. Parmi les facteurs qui stimulent la recherche, les ergothérapeutes mentionnent la priorité accordée à la recherche par l'institution et la collaboration entre cliniciens, professeurs et chercheurs. Les obstacles sont le manque de temps, le peu de ressources et les compétences limitées en recherche.

Pour faciliter le transfert des connaissances dans les milieux cliniques, ce groupe publie des articles conjoints chercheurs-cliniciens dans la *Revue québécoise d'ergothérapie* en mettant l'accent sur l'application clinique. Le groupe de travail se dissout en 2000, compte tenu de la lourdeur des responsabilités des membres du groupe.

En entrevue, Johanne Desrosiers[24] considère que les activités de ce comité *ad hoc* est un fait marquant dans l'évolution de la profession :

> On a touché des gens avec ce comité provincial sur la recherche. Les activités de ce comité ont été réalisées avec peu de ressources financières et sous la responsabilité d'aucune organisation. Le dynamisme et la volonté de changer la profession caractérisaient ce comité et cela a marché. Je suis certaine que cela a beaucoup contribué à l'intérêt des ergothérapeutes pour la recherche.

22. Desrosiers, J., Dutil, É., Robichaud, L., Rousseau, J., Majnemer, A., Hébert, L. et Gauthier, J. (1999), Bilan de la formation et des activités de recherche des ergothérapeutes québécoises ayant complété des études de 2ᵉ et 3ᵉ cycles, *Revue québécoise d'ergothérapie*, 8, 33-42.
23. Majnemer, A., Desrosiers, J., Gauthier, J., Dutil, É., Robichaud, L., Rousseau, J. et Hébert, L. (2001), Involvement of occupational therapy departments in research : a provincial survey, *Canadian Journal of Occupational Therapy*, 5, 272-280.
24. Johanne Desrosiers, chercheure au Centre de recherche sur le vieillissement (CdRV) du CSSS-Institut universitaire de gériatrie de Sherbrooke, est actuellement vice-doyenne à la réadaptation de la Faculté de médecine et des sciences de la santé de l'Université de Sherbrooke.

Les milieux cliniques en collaboration avec leur centre de recherche organisent des clubs de lecture, des portes ouvertes, des conférences midi gratuites afin de permettre aux professionnels de faire connaître leurs projets de développement et de recherche. Pour certains milieux, c'est un rendez-vous annuel auquel sont conviés tant les étudiants aux cycles supérieurs que les cliniciens, les professeurs et les chercheurs dans différentes disciplines en réadaptation. À titre d'exemple, mentionnons les Rendez-vous de la réadaptation, créés en 1997 par le Centre de réadaptation Lucie-Bruneau à Montréal et le Rendez-vous clinique annuel de l'Hôpital juif de réadaptation à Laval.

Le financement de la recherche

Vers la fin des années 1970, les premières recherches sont financées par des fonds internes des universités et des écoles, tels le Fonds Gustave Gingras[25] ou le Fonds Alma Mater de l'Université de Montréal, des fondations et des associations pour personnes handicapées, entre autres l'Association de la paralysie cérébrale, la Parade des dix sous et la Société d'arthrite. Les montants alloués varient de 500 $ à 5 000 $. Ils permettent d'effectuer des projets-pilotes, que ce soit la traduction d'un guide d'administration de tests, le développement et la validation d'un jeu éducatif ou la collecte de données auprès de quelques patients pour vérifier la faisabilité d'un projet.

Selon Gilbert Drouin, directeur du centre de recherche de l'IRM au début des années 1980, « on reconnaissait dans les institutions la mission de recherche, mais on ne donnait pas les moyens tant aux chercheurs qu'aux cliniciens[26] ». Les ergothérapeutes ont avantage à se regrouper avec d'autres disciplines pour être dans la course pour leurs demandes de subvention, car les fonds publics sont très limités, que ce soit le Programme national de recherche et de développement en matière de santé (PNRDS), le Conseil de recherches médicales (CRM) ou le Fonds de la recherche en santé du Québec (FRSQ).

---

25. Fonds Gustave Gingras : créé en 1979, à l'occasion du 25ᵉ anniversaire de l'École de réadaptation de l'Université de Montréal.
26. Choquette, D. (1999), *L'Institut de réadaptation de Montréal. 50 ans d'histoire*, *Montréal*, Institut de réadaptation de Montréal, p. 136.

Dans les années 1980, les ergothérapeutes peuvent compter sur une autre source de financement, soit la Fondation canadienne d'ergothérapie (FCE), créée le 17 mai 1983. Le financement offert vise tant la formation des ergothérapeutes aux cycles supérieurs que la réalisation d'études-pilotes. Pour y avoir accès, les ergothérapeutes doivent être membres de l'Association canadienne des ergothérapeutes (ACE). En 1987, les deux premières ergothérapeutes québécoises qui se voient attribuer une subvention de la FCE sont Rhoda Weiss-Lambrou pour la publication d'un livre, *The Health Professional's Guide to Writing for Publication*, et Sara Liebman qui reçoit un soutien financier pour faire des études de maîtrise. Jusqu'à récemment (2010), 55 ergothérapeutes québécois ont bénéficié de l'aide de la FCE, dont quelques-uns à plus d'une reprise et, au fil des ans, les montants alloués varient de 500 $ à 10 000 $[27]. Pour certains ergothérapeutes, cette aide est déterminante, leur servant, au début de leur carrière, de levier pour adresser des demandes plus substantielles aux agences tant provinciales que fédérales. Depuis octobre 2009, c'est une ergothérapeute québécoise, Huguette Picard, qui préside cet organisme de soutien à la recherche et aux études supérieures.

En 1986, une première bourse d'études est créée par l'OEQ, qui devient en 1992, la bourse de recherche Anne-Lang-Étienne. Celle-ci est attribuée à un ergothérapeute inscrit à un programme d'études de 2e ou de 3e cycle et le montant en est de 500 $. À compter de 2004, cette bourse, qui est augmentée, est offerte à deux candidats, l'un à la maîtrise et l'autre aux études doctorales. De plus, depuis 2010, en partenariat avec le REPAR, l'OEQ offre une subvention de 15 000 $ à un clinicien souhaitant réaliser un projet de recherche dans son milieu clinique, projet en lien avec le domaine de la déficience physique.

Le REPAR, créé au début des années 1990, s'avère un important levier de financement pour plusieurs chercheurs en ergothérapie, leur permettant de réaliser des études-pilotes pour étoffer leurs demandes de subvention subséquentes auprès d'agences nationales. De 1995 à 2001, 194 412 $ sont octroyés par le REPAR à des projets effectués sous la responsabilité des chercheurs en ergothérapie ; de 2006 à 2010, ce montant est de

---

27. Données fournies par la Fondation canadienne des ergothérapeutes, 11 août 2010.

876 819 $[28]. On peut également compter sur d'autres sources de financement. Au provincial, il y a le Conseil québécois de la recherche sociale (CQRS) qui devient le Fonds de recherche sur la société et la culture (FRSC) et l'Institut de recherche en santé et sécurité au travail (IRSST). Au fédéral, à compter des années 2000, il y a l'Institut de recherche en santé du Canada (IRSC).

Pour les cliniciens désireux de réaliser des projets de recherche clinique, des programmes de financement sont aussi créés. Ainsi, au cours des années 1990, le FRSQ et le REPAR mettent sur pied des programmes de subvention de première ligne pour favoriser la réalisation de projets de recherche clinique en adaptation-réadaptation. Dans les années 2000, des mécanismes sont également mis en place par le CRIR pour faciliter la participation des cliniciens aux projets de recherche grâce à des ententes avec les directeurs généraux des centres de réadaptation. Ainsi, un pourcentage du budget de ces centres est alloué pour alléger la charge de travail des cliniciens qui participent à des projets de recherche. Nicol Korner-Bitenski, pour qui l'implication des cliniciens en recherche est primordiale, en dit :

> Ces programmes ont transformé l'importance accordée à la recherche dans les milieux cliniques. Les subventions ont permis aux cliniciens de publier leurs travaux et de les présenter aux congrès. Les projets provenant de la base ont été priorisés.

Ces expériences de recherche ont des retombées positives tant pour le milieu clinique que pour les cliniciens eux-mêmes, incitant plusieurs d'entre eux à poursuivre des études aux cycles supérieurs et d'autres, à continuer de collaborer avec des chercheurs.

Pour encourager la formation d'étudiants aux cycles supérieurs, le FRSQ offre, à compter de 1993, un programme de bourses de 2e et 3e cycles pour les cliniciens détenant un diplôme professionnel en santé. Ces bourses non imposables sont très substantielles, soit de 25 024 $ à 39 323 $. Pour plusieurs ergothérapeutes, ce soutien financier est déterminant pour faire des études aux cycles supérieurs. Ces programmes existent toujours. Aussi, de 1995 à 1998, le REPAR soutient financièrement neuf ergothéra-

---

28. Réseau provincial de recherche en adaptation-réadaptation (REPAR), *Liste des demandes appuyées par le réseau*, Données fournies par le secrétariat du REPAR, novembre 2010.

peutes qui poursuivent des études aux cycles supérieurs[29]. Ceux-ci peuvent aussi bénéficier d'aide financière pour présenter leurs résultats à des congrès. À titre d'exemple, de 2001 à 2008, 57 ergothérapeutes ont bénéficié d'une telle aide. À compter de 2000, les ergothérapeutes peuvent adresser une demande de bourse aux IRSC.

Du financement est aussi accordé aux étudiants au baccalauréat pour leur permettre d'effectuer des stages de recherche. Ainsi, au début des années 1990, des bourses d'études sont offertes par les facultés de médecine et le REPAR. Plusieurs étudiants bénéficient de ces bourses et l'expérience vécue en incite certains à poursuivre des études aux cycles supérieurs.

Les activités de recherche

Dans le cadre d'une recherche axée sur la réadaptation et l'interdisciplinarité, qu'en est-il des activités de recherche réalisées par les ergothérapeutes au fil des ans ? Quels sont les volets de recherche les plus étudiés ?

De l'incapacité à la participation sociale

L'enquête réalisée en 1998 par un comité *ad hoc*, tel que mentionné précédemment, nous informe que les recherches faites en santé physique sont nettement plus nombreuses que celles en santé mentale. Ce résultat n'est sûrement pas étranger au fait que, dans les années 1980, les premiers professeurs détenteurs d'un doctorat appartenaient au domaine de la réadaptation physique. La recherche en santé mentale et en santé physique auprès de l'enfant prend son essor plus tard, dans les années 2000. Quel que soit le secteur d'activité, le plus grand nombre de sujets de recherche répertoriés lors de cette enquête vise l'étude des capacités physiques (ex.: contrôle moteur, dextérité, posture, force, motricité fine) et des capacités perceptives et cognitives (ex.: image corporelle, perception visuelle). Il apparaît tout à fait logique de mieux comprendre les mécanismes sous-jacents au développement des incapacités et aux situations de handicap

29. Réseau provincial de recherche en adaptation-réadaptation (REPAR), *Boursières du REPAR*, données fournies par le secrétariat du REPAP, novembre 2010.

si l'on veut améliorer par la suite les méthodes d'évaluation ainsi que les moyens d'intervention pour les prévenir, les réduire et les compenser.

L'enquête nous révèle aussi que plusieurs ergothérapeutes se sont intéressés à l'évaluation. Rien d'étonnant à cela, car les chercheurs sont confrontés au départ à un problème majeur sur le plan de la mesure, étant donné qu'il n'existe peu ou pas d'outils valides dans les années 1980 ; la plupart des outils existants sont en anglais. Dans un premier temps, les ergothérapeutes mettent beaucoup d'efforts pour traduire les instruments de mesure et en valider la traduction. Dans les années 1990, nombreuses sont les études portant sur le développement de nouveaux instruments de mesure et leur validation. Ces instruments portent, entre autres, sur la fonction des membres supérieurs, les activités de la vie quotidienne, le travail, les loisirs, le jeu, l'environnement, l'alimentation, la conduite automobile, la satisfaction à l'égard des aides techniques. Les recherches portent sur l'analyse des propriétés métrologiques des tests et leur adaptation transculturelle, ainsi que le développement de normes de référence.

Par ailleurs, dans les années 1980, des études sont menées sur l'efficacité des interventions. Mentionnons quelques projets réalisés au sein d'équipes multidisciplinaires, et ce, dès le début de cette décennie : l'évaluation d'un programme de réadaptation pour les personnes ayant subi un traumatisme crânien (1980-1984) ; l'efficacité des approches pour le traitement de la subluxation de l'épaule chez la personne ayant subi un AVC (1980-1985) ; l'étude d'interventions éducatives et de soutien durant la période périnatale (1983) ; le monitoring de l'état de santé des clients à risque après leur congé d'un centre de réadaptation (1989). Dans les années 1990, l'efficacité des interventions suscite de plus en plus d'intérêt. De nouvelles recherches visent, entre autres, l'évaluation d'un programme de stimulation sensorielle, le traitement en ergothérapie d'une clientèle ayant des troubles d'apprentissage scolaire, l'évaluation de programmes pour le retour au travail, l'efficacité d'un programme de rééducation des membres supérieurs après un AVC, l'évaluation des services offerts aux familles dont la mère a un trouble grave de santé mentale.

Qu'en est-il des recherches sur notre média, l'activité ? L'enquête nous révèle un nombre limité d'études existant sur ce sujet. Pourtant, déjà dans les années 1970, les cliniciens s'interrogent sur les bienfaits de l'activité et certains lancent des projets-pilotes (ex. : projet de peinture libre pour les enfants inhibés à l'Hôpital Notre-Dame[30]). Une réflexion est aussi faite par des ergothérapeutes dans un numéro spécial de la *Revue québécoise d'ergothérapie* en 1992 sur le thème de «L'activité et son utilisation en ergothérapie».

Il faut attendre le début des années 1990 pour voir émerger un plus grand nombre d'études sur l'activité, que ce soit le développement d'instruments de mesure reliés à l'activité (activités de la vie quotidienne, jeu, travail, loisir), des études sur l'activité comme modalité thérapeutique auprès de certaines clientèles (ex.: adultes psychotiques[31]). D'autres études sur des concepts théoriques mènent au développement de modèles: ludique[32], du retour thérapeutique au travail[33], d'évaluation au travail[34], de compétence[35].

Au cours des années 2000, certains domaines d'activités comme la conduite automobile, l'alimentation, la mobilité, le travail et les activités de la vie quotidienne suscitent l'intérêt d'un plus grand nombre de chercheurs. C'est aussi le cas des déterminants environnementaux (ex.: développement d'outils pour l'aménagement domiciliaire, indicateurs de mesure pour caractériser l'environnement physique urbain pour différentes clientèles, facteurs environnementaux liés au retour à l'emploi). Les aides techniques font l'objet de plus en plus d'études (ex.: l'évaluation

30. Jobin, J.-G. (1994), *Trente ans d'ergothérapie au Québec*, Allocution prononcée lors du VIIᵉ Congrès de la CPEQ, Québec.
31. Desrosiers, L. et Saint-Jean, M. (1992), L'activité pour la thérapie de l'adulte psychotique; un médium en quête de sens!, *Revue québécoise d'ergothérapie*, 1 (1), 32-37.
32. Ferland, F. (1998), *Le modèle ludique. Le jeu, l'enfant avec déficience physique et l'ergothérapie* (2ᵉ édition), Montréal, Les Presses de l'Université de Montréal.
33. Durand, M.-J., Loisel, P. et Durand, P. (1998), Le retour thérapeutique au travail comme une intervention de réadaptation centralisée dans le milieu de travail: description et fondements théoriques, *Revue canadienne d'ergothérapie*, 65 (2), 72-80.
34. Dutil, É. et Vanier, M. (1998), *Évaluation fonctionnelle des capacités de travail*, Rapport scientifique présenté au Fonds de la recherche en santé du Québec et à la Société de l'assurance automobile du Québec, 125 p.
35. Rousseau, J., Potvin, L., Dutil, É. et Falta, P. (2002), Model of competence: A conceptual framework for understanding the person-environment interaction for persons with motor disabilities, *Occupational Therapy in Health Care*, 16 (1), 15-36.

notamment des aides à la communication, les aides à la posture et à la mobilité, le contrôle de l'environnement, la télésurveillance à domicile, l'évaluation de la satisfaction des usagers, l'évaluation du rendement par l'accès à l'ordinateur).

Un autre thème de recherche, la promotion et la prévention, amène des chercheurs à élaborer des projets très novateurs comme le programme intégré d'équilibre dynamique (PIED) visant à prévenir les chutes et les fractures chez les aînés autonomes qui vivent dans la communauté.

Toujours dans la décennie 2000, plusieurs chercheurs se penchent sur le concept de la participation sociale, concept intrinsèquement lié à l'ergothérapie. Leurs études tentent de déterminer les activités significatives pour les personnes à leur retour dans la communauté après un traumatisme ou une maladie et ce, pour diverses clientèles de tous âges.

De l'évaluation de programmes et services à l'analyse de politiques

Au cours de la décennie 2000, nous assistons à l'émergence de nouvelles thématiques de recherche au sein des réseaux et consortiums de recherche (ex. : soins, programmes et services en adaptation-réadaptation et intégration sociale). Des chercheurs en ergothérapie, qui ont acquis une expertise dans ce domaine, participent à des études, notamment sur l'analyse de la qualité des soins et services offerts à différentes clientèles et aux familles et à l'analyse des politiques sociales et des stratégies de soutien destinées aux familles.

Des activités de recherche en équipe interdisciplinaire

Dès les débuts, des chercheurs en ergothérapie et des cliniciens n'hésitent pas à se joindre à des équipes pour réaliser leurs activités de recherche. Nous nous limiterons à identifier quelques équipes parmi les premières dans différents secteurs de recherche.

En 1980, Judy Gane se joint à une équipe multidisciplinaire dans le but d'élaborer et d'évaluer un programme de réadaptation pour les personnes ayant subi un traumatisme crânien. En 1987, la Régie de l'assurance automobile du Québec (RAAQ) et le FRSQ unissent leurs efforts pour créer une équipe de recherche dans le but d'élaborer un système d'évaluation des conséquences d'un traumatisme crânien : l'équipe

TRAUMA[36]. Trois professeurs du programme d'ergothérapie de l'Université de Montréal (Andrée Forget, Marie Vanier et Élisabeth Dutil) et plusieurs cliniciens s'intègrent à cette équipe sous la direction de Gilbert Drouin, directeur du centre de recherche de l'IRM. Vers la fin des années 1980, Daniel Bourbonnais, chercheur à ce centre, participe à la formation du Groupe de recherche en coordination musculaire.

En 1992, le Groupe inter-réseaux de recherche sur l'adaptation de la famille et de son environnement (GIRAFE) voit le jour et trois chercheurs en ergothérapie (Nicol Korner-Bitensky qui en assume la codirection de 1996 à 1999, Isabelle Gélinas et Sylvie Tétreault) ainsi qu'une clinicienne, Raymonde Boislard, participent au fil des ans aux travaux de ce groupe. GIRAFE a comme but de développer des connaissances et des pratiques qui favorisent l'adaptation et l'intégration de personnes vivant avec une incapacité.

Toujours dans les années 1990, d'autres chercheurs en ergothérapie jouent un rôle important au sein d'équipes interdisciplinaires, comme Rhoda Weiss-Lambrou, qui intègre l'École Polytechnique de Montréal, mandatée pour évaluer et élaborer des aides techniques à la posture et à la mobilité, Julie Gosselin, qui intègre le Groupe de recherche en sciences intégratives du comportement et du développement de l'Hôpital Sainte-Justine, ou encore Annette Majnemer, à l'Hôpital de Montréal pour enfants, qui participe à des études de dépistage précoce des séquelles neurologiques chez le nouveau-né à risque.

La recherche en prévention et réadaptation des incapacités au travail prend aussi un essor dans les années 1990 et les équipes sont composées de chercheurs en ergothérapie, comme Marie-José Durand. Selon elle, l'ergothérapeute joue un rôle clé au sein des équipes de recherche puisque :

> L'ergothérapeute est la mieux placée pour favoriser le retour au travail des différentes clientèles, car celui-ci doit être bien dosé, on doit travailler sur les craintes et croyances du patient. Par sa formation, l'ergothérapeute considère spontanément ces aspects dans son intervention et la recherche.

Vers la fin des années 1990, une communauté de trois chercheurs en psycho-dynamique du travail, Louis Trudel, Micheline Saint-Jean et

---

36. Vanier, M., Dutil, É. et Sullivan, J. (1993), *Rapport d'activités (1987-1992) des travaux de recherche de l'équipe TRAUMA*, Centre de recherche, Institut de réadaptation de Montréal, 57 p.

Pierre-Yves Therriault voit le jour[37]. En santé mentale, Monique Carrière et Geneviève Pépin participent aux travaux du Groupe de recherche sur l'inclusion sociale, l'organisation des services et l'évaluation en santé mentale (GRIOSE-SM), rattaché au Centre de santé et de services sociaux (CSSS) de la Vieille-Capitale et au Centre hospitalier Robert-Giffard.

Des ergothérapeutes participent aussi avec d'autres disciplines à des projets inter-réseaux. C'est le cas notamment du projet qui vise à mieux comprendre les besoins en réadaptation des aînés à domicile (BRAD) après un accident vasculaire cérébral (AVC) et du projet qui s'intéresse à l'impact de l'intensité des traitements de réadaptation de toutes les clientèles (PIT) sous la responsabilité de Johanne Desrosiers.

Des activités de recherche sur le plan national

On sait que beaucoup d'ergothérapeutes collaborent de plus en plus à des projets sur le plan national et international. Il est toutefois impossible ici d'en dresser la liste complète ou celle des publications effectuées et des subventions obtenues par tous les ergothérapeutes.

Voici quelques exemples d'activités réalisées sur le plan national. Au sein d'une équipe pancanadienne, CAN DRIVE[38], créée en 2003 et subventionnée par les Instituts de recherche en santé du Canada (IRSC), trois chercheures de l'Université McGill sont responsables du site de Montréal : Nicol Korner-Bitensky, Isabelle Gélinas et Barbara Mazer. Elles ont pour mandat de suivre sur une période de cinq ans une cohorte d'environ 1 000 conducteurs âgés de 70 ans et plus.

À l'égard de la clientèle ayant eu un AVC, plusieurs chercheurs québécois développent une expertise et sont désormais membres ou responsables d'une équipe au sein du Réseau canadien pour les AVC/Canadian Stroke network. À titre d'exemple, mentionnons Nicol Korner-Bitensky, qui devient responsable du projet appelé « Une nouvelle stratégie pour assurer la continuité et la puissance d'InfoAVC et de StrokEngine-Assess ». Son équipe est composée de 21 chercheurs, dont trois ergothéra-

37. Carpentier-Roy, M.-C. et Vézina, M. (2000), *Le travail et ses malentendus. Enquêtes en psychodynamique du travail au Québec*, Québec, Les Presses de l'Université Laval.
38. www.candrive.ca/fr

peutes québécois venant des universités de Sherbrooke, de Montréal et McGill[39].

C'est aussi le cas de Louise Demers et de Claudine Auger de l'Université de Montréal, qui s'intègrent à l'équipe CAN WHEEL[40], visant les recherches portant sur l'évaluation et l'entraînement relatif à l'acquisition des habiletés requises en fauteuil roulant. D'autres collaborent à des projets pancanadiens, comme Monique Carrière de l'Université Laval, qui évalue la qualité des services en santé mentale.

Le transfert des connaissances

Dans les années 1970, les ergothérapeutes mettent en place des groupes d'intérêts dans le but d'échanger sur leur pratique. En 1976, deux de ces groupes voient le jour : un en psychiatrie, et un autre s'intéressant à l'évaluation de la perception auprès de l'adulte. Ils sont suivis en 1977 d'un troisième travaillant avec des enfants présentant un handicap. Dans les années 1980, des groupes se forment pour les ergothérapeutes travaillant en région et selon des expertises particulières qui émergent dans la pratique (ex. : alimentation). Ces regroupements ne cessent de se multiplier dans les années 1990 et 2000 (ex. : réadaptation professionnelle, conduite automobile). En fait, ces groupes correspondent au premier stade de développement d'une communauté de pratique : un réseau plus ou moins formel de personnes qui se rassemblent afin de partager et d'apprendre les unes des autres, et qui ont un intérêt commun dans un secteur d'activité.

Dans les années 2000, ce partage d'expérience s'élargit et le transfert des connaissances issues de la recherche vers les milieux cliniques devient une préoccupation de plusieurs acteurs clés : chercheurs, cliniciens, administrateurs et organismes payeurs. Les milieux cliniques et ceux de la recherche doivent se parler. Mais comment ? Des chercheurs en ergothérapie prennent le leadership en créant des plateformes de formation Web, des communautés et des guides de pratique.

Les plateformes de formation Web visent à informer les intervenants, les gestionnaires des soins de santé, les patients, leurs familles et leurs amis, sur les meilleures pratiques utilisées en réadaptation, c'est-à-dire des

---

39. www.canadianstrokenetwork.ca
40. www.canwheel.ca

interventions basées sur des preuves scientifiques pour le traitement des personnes présentant différentes pathologies ou traumatismes. Plus spécifiquement, ces plateformes de formation visent à établir un lien entre les connaissances provenant de la recherche et de la pratique en clinique. Quatre plateformes québécoises de formation Web sont créées dans les années 2000 par des équipes interdisciplinaires, sous la direction de chercheurs en ergothérapie de l'Université McGill : l'Info brûlure/Burn Engine[41], par une équipe dont font partie Bernadette Nedelec et Nicol Korner-Bitensky ; Info-PC/CP-Engine[42], sous la responsabilité de Laurie Snider ; Incapacités de l'enfant/Childhooddisability, sous la responsabilité d'Annette Majnemer[43] et InfoAVC/StrokEngine[44], sous la responsabilité de Nicol Korner-Bitensky. Ces plateformes sont en anglais et en français.

Quant aux communautés de pratique virtuelles, elles voient le jour vers la fin des années 2000. Alors que les groupes d'intérêts ne réunissaient au départ que des ergothérapeutes, les communautés de pratique regroupent toutes les personnes concernées. Elles visent à faciliter le réseautage et les échanges entre les usagers, leur famille, les professionnels et les gestionnaires. Deux chercheurs en ergothérapie de l'Université de Montréal mettent sur pied de telles communautés de pratique virtuelles. Il s'agit de Lise Poissant qui élabore en équipe et met sur pied le Réseau Montréalais pour les AVC[45] et Catherine Briand qui crée le Centre d'études sur la réadaptation, le rétablissement et l'insertion sociale (CÉRRIS)[46].

Depuis longtemps, les ergothérapeutes publient des brochures et des guides destinés aux clients, aux familles et aux cliniciens. Dans les années 2000, les guides sont basés sur des données probantes. Voici quelques exemples : *Le vécu des conjoints dont la femme a un trouble de santé mentale grave*, préparé par Monique Carrière ; *Prêt ! Pas Prêt ! Je vieillis ! Guide à l'intention des adolescents ayant une incapacité motrice*, préparé par Sylvie Tétreault et Monique Carrière ; et un guide de pratique à l'intention

41. www.repar.veille.qc.ca/burnengine
42. www.medicine.mcgill.ca/cpengine/French/index.htm
43. www.childhooddisability.ca
44. http://strokengine.ca. Un site sur la réadaptation après un accident vasculaire cérébral (AVC). Il est destiné aux professionnels de la santé, aux patients et à leur famille.
45. www.rmavc.ca
46. www.cerrisweb.com

des ergothérapeutes, *L'évaluation des capacités reliées au travail pour une clientèle présentant une déficience physique*, préparé par Sophie Roy, Marie-José Durand et Hélène Corriveau.

Les chercheurs ergothérapeutes : des chefs de file ?

Au cours des années 1990 et 2000, non seulement les chercheurs en ergothérapie se retrouvent en plus grand nombre dans les réseaux, centres de recherche et consortiums, mais ils jouent également un rôle très actif dans le développement de ces organismes.

Des directeurs de centre de recherche

Ainsi, plusieurs professeurs chercheurs assument des fonctions de directeurs ou directeurs adjoints au sein d'un centre de recherche. Nicol Korner-Bitenski est la première à assumer des fonctions de directrice d'un centre de recherche (1992-1997) à l'Hôpital juif de réadaptation ; elle participe aussi à la mise en place du CRIR et en est la codirectrice en 1998-1999. Au Centre de recherche sur le vieillissement, à Sherbrooke, Johanne Desrosiers assume la fonction de directrice adjointe (1999-2006). Dans les années 2000, d'autres chercheurs en ergothérapie occupent aussi des postes de direction dans divers centres de recherche. Ainsi en est-il de Daniel Bourbonnais à l'IRM et de Lise Poissant qui lui succède alors que l'IRM devient l'Institut de réadaptation Gingras-Linsday de Montréal, de Marie-José Durand au Centre d'action en prévention et réadaptation de l'incapacité au travail (CAPRIT), de Clermont Dionne à l'Unité de recherche en santé des populations (URESP) et de Marie Gervais à la Société d'assurance automobile du Québec. Depuis peu, un premier ergothérapeute, Daniel Bourbonnais, occupe le poste de vice-doyen à la recherche à la Faculté de médecine de l'Université de Montréal.

Des chaires de recherche

Au début des années 2000, les chaires de recherche font leur apparition. Elles s'adressent à l'élite scientifique et sont créées pour permettre aux chercheurs d'atteindre les plus hauts sommets en matière de progrès des connaissances dans un domaine spécialisé. Bien que très nombreuses dans le domaine médical, ces chaires étaient jusqu'à récemment inexistantes en ergothérapie.

En 2005, Catherine Limperopoulos, professeure à l'École de physiothérapie et d'ergothérapie de l'Université McGill et chercheure au Réseau intégré de recherche en périnatalité du Québec et de l'est de l'Ontario, se voit confier la responsabilité d'une chaire de recherche du Canada sur le cerveau et le développement. En janvier 2009, Marie-José Durand, professeure à l'Université de Sherbrooke et chercheure au CAPRIT, obtient une chaire de recherche en réadaptation au travail – Fondation J.-Armand Bombardier – Pratt & Whitney Canada. Cette chaire a comme mandat de contribuer à prévenir ou à renverser les incapacités au travail, secondaires à un problème de santé.

Des prix et mentions

Vers la fin des années 2000, les efforts faits en recherche sont soulignés. Des prix sont décernés à des ergothérapeutes, témoignant de l'excellence de leurs travaux en recherche. En voici quelques-uns.

Deux ergothérapeutes sont reçus membres de l'Académie de recherche de l'American Occupational Therapy Foundation (AOTF), soit Daniel Bourbonnais (2007) et Johanne Desrosiers (2010). L'AOTF reconnaît ainsi leur contribution exceptionnelle à l'avancement des connaissances en ergothérapie par la qualité de leurs recherches.

D'autres ergothérapeutes sont élus membres de la prestigieuse Académie canadienne des sciences de la santé. Il s'agit de Johanne Desrosiers (2006) et d'Annette Majnemer (2008). Une autre ergothérapeute, Bernadette Nedelec, reçoit un prix prestigieux : elle est lauréate en 2009 du prix Harvey Stuart Allen décerné par l'American Burn Association. Récemment, le Prix schizophrénie 2010, remis par l'Institut des neurosciences, de la santé mentale et des toxicomanies des IRSC et par la Société canadienne de schizophrénie, est décerné à Catherine Briand.

En 2007, Johanne Desrosiers, chercheure au centre de recherche sur le vieillissement de l'Université de Sherbrooke, est la première chercheure boursière nationale en ergothérapie. Elle mérite une bourse reconnaissant son excellence en recherche.

*

Nous pouvons constater que depuis les 30 dernières années, la recherche en ergothérapie a non seulement connu une évolution constante, mais a également atteint une certaine maturité. Plusieurs faits y ont contribué : nombreuses stratégies mises en place pour mieux arrimer la recherche au milieu clinique, participation à la formation de nombreux étudiants aux cycles supérieurs, implication soutenue des ergothérapeutes lors de la création des réseaux et consortiums de recherche. Les ergothérapeutes chercheurs n'ont pas hésité à s'intégrer dans des projets interdisciplinaires et intersectoriels. Le nombre de leaders dans les réseaux de recherche et leur reconnaissance sur les plans national et international en témoignent.

Conclusion
L'ergothérapie de demain

> Du fait de sa vocation holistique, l'ergothérapie devra alors
> se constituer gardienne de la tradition artisanale, et réapprendre
> à l'être humain la magie du toucher, la force du dialogue
> entre la main et la matière, et l'écoute des images intérieures.
>
> ANNE LANG-ÉTIENNE[1]

L'histoire d'une profession est affaire de perception : c'est donc notre perception de l'histoire de l'ergothérapie que nous vous avons présentée ici. D'autres personnes l'auraient probablement écrite différemment, faisant ressortir davantage certains thèmes et passant sous silence d'autres sujets. Mais nous pensons que le constat aurait été le même au bout du compte. Considérant la capacité d'adaptation démontrée par la profession au fil des ans, tant en lien avec les changements dans le réseau de la santé qu'avec l'évolution des besoins des Québécois, l'ergothérapie n'aura aucun mal à poursuivre son évolution.

En 1962, Mary Reilly[2] écrivait : « Occupational Therapy can be one of the greatest ideas of 20th century medicine. » Quand on regarde le chemin parcouru par notre profession au fil des ans, force est de constater qu'elle avait raison. Bien que plus discrète que nous le souhaiterions, il n'empêche

1. Étienne, A. (1984), La matière, notre miroir, *Le Transfert*, 8 (2), 23.
2. Reilly, M. (1962), The Eleonor Clarke Slagle – Occupational Therapy can be one of the greatest idea of 20th century medecine, *American Journal of Occupational Therapy*, 16 (1), 1-9.

que l'ergothérapie s'est taillée une place enviable dans le système de santé québécois.

Selon le poète italien Filippo Pananti, l'histoire est utile non pour y lire le passé, mais pour y lire l'avenir. À partir de l'histoire que nous avons retracée, quel avenir peut-on envisager pour l'ergothérapie ? Quelle orientation prendra la profession ? Quels secteurs se développeront le plus ? Quels rêves les ergothérapeutes eux-mêmes entretiennent-ils pour l'avenir de leur profession ?

La richesse de l'ergothérapie

Nous avons demandé à plusieurs ergothérapeutes ce qui constituait à leurs yeux la richesse de notre profession. Leurs réponses peuvent servir de tremplin pour dégager une vision de l'ergothérapie de demain. Voyons-en quelques-unes.

- La richesse de notre profession est notre capacité à marier le subjectif avec les données probantes. (René Bélanger)
- Notre souci de maintenir les patients dans des activités significatives en passant à travers les épreuves dans leur quête d'autonomie et faire une différence dans le quotidien des gens, voilà notre richesse. (Johanne Desrosiers)
- C'est le fait de rejoindre la personne dans sa vie réelle, sans imposer notre savoir. (Jean-Guy Jobin)
- La richesse de l'ergothérapie repose sur le fait que ce n'est ni un art ni une science, mais les deux. De plus, l'ergothérapeute est une des seules personnes que le patient va rencontrer qui peut lui donner du pouvoir. (Pamela Gauvin)
- La plus grande richesse, c'est la cohésion des ergothérapeutes. Ce sont des personnes qui se soutiennent, qui font des compromis, qui s'entendent sur les grandes orientations de la profession. (Colette Tracyk)
- C'est la créativité des ergothérapeutes, leur capacité d'analyse au quotidien et dans le quotidien des personnes, mais aussi leur intervention centrée sur le client dans un esprit d'empowerment vers plus d'autonomie des individus, des groupes et des collectivités. (Chantal Pinard)

Dans le sondage, sept thèmes résument la majorité des commentaires des répondants en lien avec les forces de l'ergothérapie. Ce sont la capacité d'adaptation de la profession, sa vision holistique de la santé et de l'être humain, l'analyse d'activité, sa polyvalence, l'utilisation d'activités significatives pour la personne, son approche centrée sur la personne, et la créativité des ergothérapeutes.

Et l'avenir ?

Peut-être pourrions-nous résumer notre rêve pour le futur en empruntant les mots de Jean-Guy Jobin : « Que l'ergothérapeute réalise à quel point ses possibilités sont grandes. » Certains formulent d'autres types de rêves, comme Hélène Laberge, qui souhaiterait un ministre de la Santé qui soit ergothérapeute de formation ! Et pourquoi pas ? Pour le moment, tentons de nous projeter dans le futur à partir de l'évolution des différents aspects de la profession traités dans cet ouvrage. Commençons par celui de notre organisme professionnel.

L'Ordre des ergothérapeutes du Québec

Nous avons vu qu'au fil des ans, notre organisme professionnel n'a ménagé aucun effort pour prendre sa place dans le système de santé, pour faire connaître son point de vue sur les politiques de santé, pour s'assurer que ses membres sont compétents. Grâce à ce travail sans relâche, à notre avis, l'ergothérapie ne peut que continuer à évoluer et être de plus en plus reconnue par les instances décisionnelles.

Par ailleurs, les diverses pénuries d'ergothérapeutes mentionnées dans les chapitres précédents, pénuries qui persistent au fil des ans malgré une augmentation de la cohorte étudiante, laissent croire que les services offerts par les ergothérapeutes sont appréciés et efficaces. En effet, on en demande toujours davantage. Ces faits démontrent bien que tant les clients desservis par la profession que les instances décisionnelles sont très au fait de l'apport de la profession au mieux-être des personnes. Rappelons que ces pénuries ont été documentées non seulement par notre organisme professionnel mais aussi par le ministère de la Santé et des Services sociaux (MSSS).

En 1999, Françoise Rollin, présidente de l'Ordre des ergothérapeutes du Québec (OEQ), écrivait :

> Notre profession dispose d'un atout majeur en ces temps troubles : le but fondamental du régime de santé et de services sociaux québécois, qui est le maintien et l'amélioration de la capacité des personnes d'accomplir des rôles significatifs, est au cœur de notre culture professionnelle, axée sur le maintien et la promotion de l'occupation[3]. (p. 19)

Oui, notre culture professionnelle se marie bien avec la philosophie du système de santé. Pour que ce mariage dure longtemps, l'ergothérapie devra maintenir sa polyvalence de pratique, son approche globale du client et son utilisation de l'activité, modalité d'une rare richesse.

La formation

On peut penser que le rehaussement de la formation au niveau de la maîtrise professionnelle aidera les ergothérapeutes à composer avec les changements futurs dans le réseau de la santé. Basée sur des données probantes et une approche réflexive, cette formation devrait assurer le maintien de la qualité des services offerts à la population et permettre de relever les défis du futur. Dans les années à venir, il serait toutefois opportun d'évaluer de façon précise les retombées du rehaussement de la formation sur la qualité des soins aux clients.

Comme toujours, il faudra que la formation dans les années à venir s'ajuste aux besoins de la population. Compte tenu de la complexité et de la diversité des cas que traitent les ergothérapeutes et de la pluralité des milieux de pratique, peut-être devrions-nous nous pencher sur la possibilité d'un doctorat professionnel à moyen terme, comme le suggère Louis Trudel.

Un des rêves d'Andrée Forget

À quand le premier *Willard and Spackman*, la bible américaine de l'ergothérapie, en français, écrit par des ergothérapeutes québécois ?

À notre avis, il serait opportun de mener, dans la profession, une réflexion sur les concepts de base de l'ergothérapie, entre autres sur l'oc-

---

3. Rollin-Gagnon, F. (1999), L'avenir de l'ergothérapie, *Revue québécoise d'ergothérapie*, 8 (1), 17-21.

cupation, l'activité, le rendement et la performance. Notons au départ que l'adjectif «occupationnel» n'est pas un terme français: il faudrait donc parler d'horaire de ses activités ou de comportement dans ses activités.

Depuis les débuts de la profession, nous avons accordé une place de choix aux activités en ergothérapie. Or, au cours des dernières années, suivant nos collègues anglophones, nous avons adopté le terme *occupation* pour désigner les activités. Terme contre lequel les ergothérapeutes des années 1950 et 1960 s'étaient élevées alors qu'on avait traduit *Occupational Therapy* par «thérapie d'occupation». En français, lorsque quelqu'un parle de son occupation, il s'agit en général de son travail. D'ailleurs, *Occupational Health and Safety* réfère à la santé et sécurité au travail. Pourquoi ne pas avoir retenu la distinction faite par Jean-Guy Jobin en 1992 entre l'activité et les activités?

> L'activité est la manifestation du vivant qui tend à maintenir, accroître, régénérer ou reproduire son être. Elle recouvre un ensemble de fonctions motrices, sensorielles et cérébrales... Les activités sont les formes plus ou moins concrètes sous lesquelles l'activité se manifeste[4].

Alors peut-être aurions-nous dû traduire le *Model of Human Occupation* de Gary Kielhofner par le «modèle de l'activité humaine»? Cela mériterait certainement un débat, surtout si nous voulons maintenir un leadership dans la communauté internationale francophone.

Le concept de *performance*, tiré du modèle canadien de rendement occupationnel et traduit par *rendement*, suscite aussi des controverses. Le terme *performance* signifie soit «le résultat obtenu dans une compétition», soit «le résultat le meilleur» (ex: performance d'une machine, d'un avion), soit «un exploit, une réussite remarquable». Ce n'est certainement pas ce qui est visé en ergothérapie avec nos patients aux prises avec des difficultés importantes. Le terme *rendement*, quant à lui, fait référence à la productivité, à la rentabilité. L'objet de notre travail est-il de rendre nos clients productifs et rentables pour la société? Avec notre philosophie humaniste, ne vise-t-on pas plutôt une autonomie optimale et un quotidien le plus satisfaisant possible pour nos clients? Nous pensons qu'il y aurait lieu de débattre de ces questions pour préciser les concepts sous-jacents à la profession. Il nous apparaît important de veiller à utiliser un vocabulaire

---

4. Jobin, J.-G. (1992), De l'activité, ce qu'on peut encore en dire, *Revue québécoise d'ergothérapie*, 1 (1), 11-16.

professionnel qui soit à la fois respectueux de la langue française et de notre philosophie professionnelle.

La pratique en milieu clinique

L'histoire de notre profession illustre bien la très grande capacité d'adaptation des ergothérapeutes. Au fil des ans, nous avons saisi les opportunités pour occuper une bonne place dans le réseau de la santé. Selon les besoins, nous avons changé la perspective de notre pratique. Il faudra continuer de nous questionner sur notre mode de pratique pour s'assurer qu'il est toujours bien adapté aux changements économiques et sociaux. En milieu clinique, le rôle de l'ergothérapeute a déjà commencé à changer. Compte tenu, entre autres, de la réduction du temps de séjour en centre hospitalier et de la gravité des cas, bien souvent, l'ergothérapeute offre davantage des services d'évaluation et de consultation que des sessions de thérapie. Il faudra être attentif à conserver notre place dans les soins directs aux patients.

Nous sommes d'accord avec la mise en garde de Pamela Gauvin adressée aux ergothérapeutes et recueillie lors d'une entrevue :

> J'espère que les ergothérapeutes garderont l'activité comme cœur de leur profession, peu importe ce qui se passe dans le système de la santé. L'ergothérapie ne doit pas être dénaturée en délaissant les traitements axés sur l'activité.

Comme Françoise Rollin[5], nous croyons qu'il nous faudra réinventer notre façon de travailler en ce qui a trait aux équipes interdisciplinaires, tout en conservant notre spécificité, soit l'activité. Ce sera là un grand défi pour l'ergothérapie de demain. De plus, il faudra éviter de tout déléguer à d'autres professionnels et continuer à centrer nos services sur les besoins de nos clients, échappant au piège de la productivité à tout prix, attendue de certaines administrations. On peut également penser que dans les années à venir, l'ergothérapeute deviendra un agent multiplicateur, faisant en sorte que davantage de patients bénéficient de sa compétence.

Au fil des ans, les ergothérapeutes ont appris à travailler en synergie avec différentes disciplines. Plusieurs sont d'ailleurs des membres-pivots

---

5. Rollin-Gagnon, F. (1999), L'avenir de l'ergothérapie, *Revue québécoise d'ergothérapie*, 8 (1), 17-21.

dans le réseau de la santé. Nous avons certainement gagné notre place au sein des équipes.

Compte tenu d'un nombre de plus en plus grand de personnes issues d'une pluralité de communautés culturelles, il nous faudra être davantage sensibles au choc culturel que notre culture professionnelle peut représenter pour certaines : par exemple pour celles qui valorisent l'interdépendance plutôt que l'autonomie individuelle, pour celles qui considèrent une personne aux prises avec une situation de handicap comme une personne malade.

Comme par le passé, il faudra, dans les années à venir, des leaders pour ouvrir de nouvelles portes à la profession, dans de nouveaux milieux, auprès de nouvelles clientèles et pour innover dans la façon de travailler. Comte tenu des temps de séjour réduits dans les centres de santé, on peut penser que l'ergothérapeute de demain travaillera davantage dans le milieu de vie des personnes. Appliquée dans l'environnement naturel des clients, son approche en gagnera alors en réalisme et en efficacité. Avec toutes ses nouvelles clientèles, n'est-ce pas étonnant que notre profession se soit si peu intéressée aux itinérants dont plusieurs présentent des problèmes de santé mentale et pourraient à coup sûr bénéficier de nos services professionnels ? Il va sans dire qu'il faudrait alors reconsidérer notre façon de travailler pour les rejoindre. Les activités que l'on fait faire aux personnes que l'on traite mériteraient aussi d'être revues et il serait opportun de les actualiser. Certains ont déjà commencé à le faire. Par exemple, Frédéric Loiselle s'intéresse depuis plusieurs années aux activités de cirque pour des patients adolescents et adultes en santé physique. L'utilisation de la plateforme d'équilibre et du Wii Fit est un autre exemple. Et qu'en sera-t-il de la réalité virtuelle retenue comme moyen d'évaluation et d'intervention dans le futur ?

L'apport en santé publique

Considérant la santé publique, on peut entrevoir une présence encore plus importante de notre profession dans ce secteur. Œuvrant dans le domaine de la réadaptation, les ergothérapeutes connaissent bien les conséquences de divers traumatismes, maladies, déficiences ou carences. Pour sensibiliser la population à l'importance de la prévention, ils peuvent en expliquer leur impact dans le quotidien, de façon très concrète.

Par ailleurs, certaines pratiques bien connues en ergothérapie permettent d'éviter des problèmes de santé ; pensons à l'organisation sécuritaire de l'environnement et aux postures adéquates de travail pour prévenir des maux de dos.

Les activités de promotion de la santé visent à donner du pouvoir aux personnes (*empowerment*) pour qu'elles améliorent leur santé. N'est-ce pas ce que nous faisons déjà avec nos clients ? L'ergothérapie cherche à rendre ses clients aptes à prendre en mains leur santé, à améliorer leur quotidien et à avoir du pouvoir sur leur vie. On peut très bien concevoir une telle approche pour tous.

D'ailleurs, de nombreux principes propres à l'ergothérapie et utilisés avec nos clients peuvent être fort utiles à l'ensemble de la population ; mentionnons, entre autres, l'importance des activités significatives dans son quotidien, une saine gestion de son énergie et l'aménagement fonctionnel de son environnement. Par sa finalité, la profession s'inscrit tout à fait dans une perspective de mieux-être pour tous par le biais d'activités qui ont du sens pour eux. Alors, peut-être que dans quelques années, le rêve formulé par un répondant à notre sondage pourrait se réaliser : « Que chaque personne ait son ergothérapeute. »

Compte tenu du nombre croissant d'enfants présentant des difficultés en milieu scolaire (enfants avec déficit d'attention, avec ou sans hyperactivité, enfants dyspraxiques, enfants avec problèmes de comportement...), on peut penser que le milieu scolaire requerra davantage de services en ergothérapie dans les années à venir.

La recherche

Le chemin parcouru en recherche depuis les débuts de l'ergothérapie au Québec est spectaculaire. Dans les années 1960, les personnes qui exerçaient la profession ne détenaient qu'un seul diplôme. Quelque 30 ans plus tard, on exigeait des professeurs un doctorat et même un postdoctorat. Ce critère a favorisé l'émergence de chercheurs autonomes dans la profession.

Dans les 30 dernières années, la recherche en ergothérapie a connu une évolution constante et plusieurs signes sont révélateurs de cette croissance : un nombre accru d'ergothérapeutes formés pour la recherche ; des postes clés occupés par des ergothérapeutes dans les centres de recherche ;

l'attribution de chaires de recherche ; un taux de succès croissant dans l'obtention de subventions, et des reconnaissances tant sur le plan provincial que fédéral. De plus, des efforts considérables ont été faits ces 20 dernières années pour élaborer des modèles et des outils mieux adaptés à notre réalité clinique, et pour évaluer l'efficacité de notre pratique professionnelle.

La recherche en santé évolue et repose de plus en plus sur des approches interdisciplinaires et des équipes plurisectorielles. Dès le début, les chercheurs en ergothérapie ont adhéré à cette approche. Cela les a amenés à exercer un leadership au sein de plusieurs centres de recherche. Pour mieux transposer la recherche dans les milieux cliniques, des alliances fructueuses ont été établies au cours des 20 dernières années. À l'ère du transfert des connaissances, elles ont permis aux ergothérapeutes de répondre aux attentes des organismes subventionnaires et surtout comprendre les problématiques soulevées par les cliniciens.

Le fait que le financement et les structures organisationnelles de la recherche (réseaux et consortiums) au Québec aient favorisé la réadaptation en général représente-t-il une force ou une limite pour l'évolution de la profession d'ergothérapeute ? À notre avis, l'interdisciplinarité s'est imposée en recherche à cause de la pluralité des problèmes étudiés, et l'évolution de la recherche en ergothérapie a bénéficié de ce contexte d'interdisciplinarité. On peut également penser que la diversité des formations des ergothérapeutes aux 2e et 3e cycles a représenté une grande force pour la profession, facilitant la compréhension de problématiques complexes et le travail de recherche avec d'autres professionnels[6]. Que souhaiter pour le futur ? Que des ergothérapeutes deviennent de plus en plus des leaders dans des équipes de recherche et incitent leurs partenaires à s'intéresser encore davantage au quotidien de la personne, à l'individu en activité, permettant ainsi d'aborder ces thèmes, chers à notre profession, dans une perspective interdisciplinaire.

Par ailleurs, il est heureux de constater qu'aujourd'hui, les chercheurs utilisent autant une approche qualitative que quantitative pour mieux

6. Desrosiers, J., Dutil, É., Robichaud, L., Rousseau, J., Majnemer, A., Gauthier, J. et Hébert, L. (1999), Bilan de la formation et des activités de recherche des ergothérapeutes québécois ayant complété des études de 2e et 3e cycles, *Revue québécoise d'ergothérapie*, 8 (2), 33-41.

cerner des thèmes multidimensionnels, que ce soit l'effet d'activités significatives sur le bien-être des personnes, la satisfaction tirée du quotidien ou le processus de l'activité dans une thérapie.

La reconnaissance de la profession

La reconnaissance de la profession est un thème récurrent depuis de nombreuses années. Tant les étudiants que les ergothérapeutes eux-mêmes rêvent que la profession soit de plus en plus connue et reconnue.

Nous voulons croire que depuis le temps que les ergothérapeutes œuvrent dans le système de santé, les autres professionnels connaissent et comprennent notre travail. Par ailleurs, de plus en plus d'administrateurs et d'instances décisionnelles semblent au fait de ce qu'est l'ergothérapie. Le nombre croissant d'ergothérapeutes occupant des postes de direction (directeur général, directeur de programmes…) n'est certainement pas étranger à cette situation. Reste le grand public.

Serait-ce un problème de définition ? Est-ce possible que la polyvalence qui caractérise l'ergothérapie devienne un handicap quand il s'agit de la définir ? Le plus souvent, on tente de le faire de la façon la plus complète qui soit, en précisant les différentes clientèles tant en termes d'âge que de problématique, les divers milieux de pratique et les moyens utilisés. Une telle explication est vouée à l'échec ou, à tout le moins, elle risque de semer la confusion chez nos interlocuteurs. Pourquoi ne pas faire ressortir les points communs à tous les ergothérapeutes ? Les mots clés seraient alors : quotidien plus agréable, abolition des obstacles dans l'environnement, activités significatives, autonomie optimale.

Souhaitons que tous les étudiants d'aujourd'hui conservent longtemps leur enthousiasme pour l'ergothérapie, enthousiasme évident dans leurs réponses au sondage qui leur a été envoyé, et qu'ils s'avèrent des ambassadeurs dynamiques de leur profession tout au long de leur carrière. Avec un nombre grandissant d'ergothérapeutes qui continueront à améliorer le quotidien de plus en plus de personnes, nul doute que notre profession sera de plus en plus connue et reconnue dans l'avenir.

Ne serait-ce pas merveilleux que les activités de prévention et de promotion de la santé auprès de la population deviennent à ce point efficaces que le besoin de services en ergothérapie diminue et que ces professionnels mettent toute leur compétence au mieux-être de la population ? Douce utopie ? Certainement, mais quel beau rêve, non ?

Nous retenons la citation de Jean Jaurès : « Il ne faut avoir aucun regret pour le passé, aucun remords pour le présent, et une confiance inébranlable pour l'avenir. » Notre confiance pour l'avenir s'appuie, bien sûr, sur le passé, sur l'histoire de notre profession, mais aussi sur la passion qui anime les ergothérapeutes.

Seule l'histoire n'a pas de fin, disait Charles Baudelaire. Alors, nous ne mettons pas un point final à cette histoire de l'ergothérapie mais plutôt des points de suspension, en espérant que d'autres sauront en être les gardiens dans l'avenir, qu'ils reprendront le flambeau pour la continuer.

Annexe – Les sondages

Auprès des ergothérapeutes, membres de l'Ordre des ergothérapeutes du Québec (OEQ)

Pour compléter l'information recueillie lors de la consultation des archives et des entrevues menées auprès de certains ergothérapeutes, nous avons voulu donner la parole à tous les ergothérapeutes de l'OEQ. Un sondage comprenant 83 questions a alors été élaboré à l'aide du logiciel *Survey Monkey* à l'été 2009. L'objectif était de recueillir des informations sur les différents thèmes traités dans ce livre : formation, pratique, implication en santé publique, en recherche, en gestion, en pratique privée, et conditions de travail.

À l'automne 2009, l'OEQ a acheminé le sondage aux 3 714 ergothérapeutes possédant une adresse courriel. Trois rappels leur ont été adressés. Nous avons reçu 841 réponses, soit un taux de participation de 22,6 %. Ce taux aurait été beaucoup plus élevé n'eut été un problème technique, problème auquel le fournisseur du logiciel n'a pu trouver de solution.

Les ergothérapeutes âgés de moins de 30 ans représentent 34,6 % de notre échantillon et ceux entre 30 et 50 ans, 52,5 %. Nous avons été heureuses de recevoir les réponses d'ergothérapeutes de plus de 50 ans (12,9 %), susceptibles de nous rapporter des faits inconnus des plus jeunes. Notons que 198 répondants n'ont pas mentionné leur âge.

Par ailleurs, 87 % ont obtenu leur premier diplôme en ergothérapie entre les années 1980 et aujourd'hui. Le diplôme le plus fréquemment mentionné est le baccalauréat en ergothérapie (85,2 %) et 40,5 % des répondants ont obtenu un deuxième diplôme. L'Université de Montréal a formé

50,7 % des répondants, l'Université Laval, 25,2 % et l'Université McGill, 17,4 %. Sans surprise, les hommes ergothérapeutes ne représentent que 5,5 % de notre échantillon.

Auprès d'étudiants en ergothérapie

Afin d'avoir également le point de vue de la relève, nous avons fait parvenir un sondage aux étudiants de l'Université de Montréal. Ce ne sont que des contraintes financières et pragmatiques qui nous ont empêchées de rejoindre les étudiants des autres programmes. Ce questionnaire abordait les thèmes suivants : les raisons de leur choix professionnel, les études préalables à leur admission en ergothérapie, s'il y avait lieu, leur perception des forces de la profession et leurs vues pour l'ergothérapie de demain.

Le sondage a été envoyé en novembre 2009 à tous les étudiants, de la première année jusqu'à la maîtrise. Le nombre total de répondants a été de 245. De ce nombre, 9,4 % avaient complété une autre formation avant leur admission en ergothérapie, alors que 14,8 % en avaient commencé une autre avant d'entrer au programme d'ergothérapie.

La majorité des répondants (76,1 %) avaient entre 20 et 24 ans, alors que 15,5 %, 19 ans et moins. Parmi eux, 91,6 % étaient des femmes.

Bibliographie

Actes des congrès tenus par la CPEQ et l'OEQ.

Activités du bureau (1976), *Bulletin*, 1 (2), 2.

Annuaire 1965-1966, École de Réhabilitation, Université de Montréal.

Anthony, W. A. et Liberman, R. P. (1992), Principles and practice of psychiatric reha-bilitation, *in* R. P. Liberman (dir.), *Handbook of Psychiatric Rehabilitation*, Toronto, Maxwell Macmillan.

Archives de l'OEQ, *Mémoire présenté à la commission parlementaire spéciale des corporations professionnelles par la Société des ergothérapeutes du Québec inc.*, janvier 1972.

Archives de la QSOT, de la SEQ, de la CPEQ et de l'OEQ : procès-verbaux, rapports annuels, mémoires, correspondance.

Archives des auteurs, *Mémoire présenté à la commission parlementaire par un groupe d'ergothérapeutes membres de la Société des ergothérapeutes du Québec inc. et membres du personnel enseignant des universités offrant un cours d'ergothérapie*, 11 février 1972.

Archives des auteures, *Imprimerie, Plan d'évaluation*, le Centre de réadaptation du Québec, pavillon Laurier, service d'ergothérapie, préparé par Francine Fontaine, Louise Beaudry et Évelyne Desrochers, décembre 1975.

Archives des auteurs, *Situation actuelle de la recherche à l'École de réadaptation*, Séminaire de l'École de réadaptation, Université de Montréal, 12 mai 1981.

Archives des auteurs, *Guide du chercheur*, École de réadaptation, Université de Montréal, 1982.

Archives des auteurs, *Rapport sur la recherche à l'École de réadaptation*, Comité de planification et des priorités en recherche de la Faculté de Médecine, Université de Montréal, janvier 1986.

Archives des auteures, *Émergence de la recherche en ergothérapie : impact sur la pratique des soins en réadaptation*, Conférence présentée dans le cadre du Council of directors of physiotherapy programs and Canadian association of university schools of rehabilitation. Special meeting of the rehabilitation research community with representatives of the federal granting agencies, 15 octobre 1990.

Archives personnelles de Beverlea Tallant.

Arsenault, A. B. (1996), *Les professeurs et leurs thèmes de recherche*, École de réadaptation, Université de Montréal, 17 p.

Arsenault, A. B., Bourbonnais, D., Chapman, E. et Forget, R. (1996), *La recherche et les études supérieures à l'École de réadaptation*, École de réadaptation, Université de Montréal, 32 p.

Arsenault, D. et Tremblay, L. (1999), 25 ans d'histoire et d'écrits, *Le Transfert*, 8 (1), 5-7.

Asselin, B. et Melançon, M. (1977), Visage de l'ergothérapie au Centre hospitalier Rivière-des-Prairies, *Le Médecin du Québec*, 12, 67-91.

Association canadienne des ergothérapeutes, *Promouvoir l'occupation : une perspective de l'ergothérapie*, Ottawa, CAOT Publications ACE, 1997.

Ayres, A. J. (1974), *Sensory integration and learning disorders*, Los Angeles, Western Psychological Services.

Beaudry, P. (1996), Les défis du virage ambulatoire dans les services de santé mentale à Montréal, *Santé mentale*, XXI (1), 67-78.

Bourbonnais, D. et Dutil, É. (1992), Recherche en ergothérapie : aspect important à développer, *Actes du VIe congrès de la CPEQ*, Sherbrooke.

Brunnstrom, S. (1970), *Movement Therapy in Hemiplegia. A Neurophysiological Approach*, Haagestown, Harper and Row Publishers.

Bulletin, Transfert, Revue québécoise d'ergothérapie, Nouvelles, Ergothérapie express de même que tous les mémoires produits par l'OEQ.

Chapparo, C. et Ranka, J. (1996), *The Perceive, Recall, Plan and Perform System of Task Analysis*, OT Australia, AAOT-NSW, Continuing Education Workshop, Sydney, Australie.

Choquette, D. (1999), *L'Institut de réadaptation de Montréal. 50 ans d'histoire*, Montréal, Institut de réadaptation de Montréal, 202 p.

Colloque 25 ans d'ergothérapie, Université Laval, 1968-1993, 30 octobre 1993.

Colloque 40 ans d'ergothérapie, Université Laval, 1968-2008, 29 novembre 2008.

Copti, M. (1984), Quelle sera la place de l'ergothérapie dans 10 ans ?, *Le Transfert*, 8 (2), 16.

De l'Assistance aux enfants infirmes au Centre Cardinal-Villeneuve, *L'Aube*, Centre Cardinal-Villeneuve, mai 1985.

Demers, L., Weiss-Lambrou, R. et Ska, B. (1996), Development of the Quebec User Evaluation of Satisfaction with Assistive Technology (QUEST), *Assistive Technology*, 8, 3-13.

Desrosiers, J. et Dutil, É. (2003), Quelques expériences québécoises de recherche et leurs retombées cliniques, dans Izard, M.-H., Kalfat, H. et Nespoulous, R. (dir.),

La recherche et expériences en ergothérapie, Rencontres en médecine physique et réadaptation, 16 (9), 47-56, Montpellier, Sauramps Medical.

Desrosiers, J., Hébert, R., Dutil, É. et Bravo, G. (1993), Development and reliability of an upper extremity function test for the elderly : the TEMPA, *Canadian Journal of Occupational Therapy*, 60, 9-16.

Dessureault, D. (1980), L'implication de l'ergothérapeute auprès des brûlés, *Le Transfert*, 4 (4), 23.

Dion-Hubert, C. (1981), Refonte du programme-Université de Montréal, *Le Transfert*, 5 (2), 13.

Egan, M. (2001), La recherche en ergothérapie au Canada : La petite profession qui ne lâchait jamais, *Canadian Journal of Occupational Therapy*, 68, 143-148.

Émond, I. et Dostie, C. (1987), Stage en CLSC, *Le Transfert*, 11 (2), 11.

Entrevues - *Le Transfert* a interrogé Mmes Weiss, Tracyk et Forget (1984), *Le Transfert*, 8 (2), 7-9.

Étudier à l'Université de Sherbrooke, *Ergothérapie express*, septembre 2007.

Étudier à l'Université McGill, *Ergothérapie express*, mars 2010.

Everitt, S. (1986), Allocution lors de la cérémonie de retraite de Joyce Field, 15 mai.

Ferland, F. et Saint-Jean, M. pour le comité d'ergothérapie (1989), *Proposition d'augmentation de la capacité d'accueil au programme d'ergothérapie*, Université de Montréal.

Ferland, F., Saint-Jean, M. et Weiss-Lambrou, R. (1984), Réflexion sur l'évolution de l'ergothérapie et la formation des années 1980, *Le Transfert*, 2 (2), 12-13.

Fidler, G. S et Fidler, J. W. (1954), *Introduction to Psychiatric Occupational Therapy*, New York, Macmillan Publishers & Co.

Fisher, A. G. et Bray Jones, K. (2010), *Assessment of Motor and Process Skills. Vol. 1 : Development, Standardization, and Administration Manual* (7e éd.), Fort Collins, Colorado, Three Star Press.

Fonds de la recherche en santé du Québec, *Recherche en santé*, nov. 1999, nov. 2001, nov. 2005.

Forget, A. et Marazzani, M. (1977), L'ergothérapie à l'Université de Montréal, *L'interdit*, 25, 7-8.

Fougeyrollas P., Cloutier, R., Bergeron, H., Côté, J. et St-Michel, G. (1998), *Classification québécoise : Processus de production du handicap*, Lac-St-Charles (Québec), Réseau international sur le Processus de production du handicap, 164 p.

Gélinas, I., Gauthier, L., McIntyre, M. C. et Gauthier, S. (1999), Development of a functional measure for persons with Alzheimer disease : The Disability Assessment for Dementia, *American Journal of Occupational Therapy*, 53, 471-481.

Gélinas, S. (1959), La physio et occupation thérapie – voie inaccessible au sexe masculin, *La Presse*, 29 août.

Giasson, E. et Pichet, C. (1985), Un projet d'aménagement thérapeutique, *Le Transfert*, 9 (3), 20-21.

Gingras, G. (1975), *Combats pour la survie*, Paris, Éditions Robert Laffont.

Gingras, G. (1975), *Combats pour la survie*, Robert Laffont.

Hommage à Anne Étienne *in memoriam*, *Le Transfert*, 16 (1), 13-16, 1992.

Hudon, F. (2004), *Histoire de l'École de réadaptation de l'Université de Montréal, 1954-2004*, Montréal, à compte d'auteur, 287 p.

Huguette Picard à la tête de la Fondation canadienne d'ergothérapie (2009), *Ergothérapie express*, 20 (4).

Jobin, J.-G. (1993), *Si j'ai bonne mémoire...*, Séance d'ouverture du Colloque soulignant les 25 ans du programme d'ergothérapie à l'Université Laval, 30 octobre.

Jobin, J.-G. (1994), *Trente ans d'ergothérapie au Québec*, Allocution prononcée lors du banquet du VIIᵉ Congrès de la CPEQ tenu à Québec.

Jobin, J.-G. (1994), Trente ans d'ergothérapie, *Revue québécoise d'ergothérapie*, 3 (4), 136-140.

Johanne Desrosiers, chercheur national (2007), *Ergothérapie express*, 23 (3), 3.

Jorgensen, H. (1955), At U. of M.: One crisis after another marked school's first year, *The Gazette*, 12 septembre.

Kielhofner, G. (dir.) (1985), *A Model of Human Occupational Theory and Application*, Baltimore, Williams and Wilkins.

Korner-Bitensky, N. et Gélinas, I. (1999), Using standardised measures in Occupational Therapy: The Good, The Bad and The Ugly, *Revue québécoise d'ergothérapie*, 8, 42-45.

L'ergothérapeute, le spécialiste des activités de la vie quotidienne, *Le Devoir*, Cahier spécial professions, vendredi 26 octobre 1990.

L'excellence pour des ergothérapeutes, *Ergothérapie express*, 10 (5), 6, 1999.

Labonté, L. (1979), Analyse de la profession, *Le Transfert*, 3 (3), 7.

Landry, M. et Matteau, H. (1980), Groupe de cuisine, *Le Transfert*, 5 (3), 8.

Lang-Étienne, A. (1984), Des paradoxes de l'ergothérapie, *Le Transfert*, 8 (1), 17.

Lang-Étienne, A. (1984), Les habitudes et l'attention, ces pôles contraires, *Le Transfert*, 8 (3), 14-15.

Lang-Étienne, A. (1985), L'art alchimique serait-il un art ergothérapique?, *Le Transfert*, 9 (3), 17.

Lang-Étienne, A. (1985), L'ergothérapie et nous, *Le Transfert*, 10 (2), 11.

Lang-Étienne, A., (1986), L'action et l'adhésion, *Le Transfert*, 10 (1), 14.

Le programme d'ergothérapie arrive à l'UQTR, *Ergothérapie express*, mars 2008.

Lefebvre-LaPalme, N. et Giguère-Thibault, N. (1980), Groupe d'éveil en gériatrie, *Le Transfert*, 5 (3), 9.

Les 25 ans de l'Ordre: rétrospective, *Revue québécoise d'ergothérapie*, 8 (1), 1999.

Les portes de la recherche s'ouvrent aux cliniciens: comment y entrer?, *Ergothérapie express*, XII (1), 4, 2001.

Maltais, D., Trickey, F., Robitaille, Y. et Rodriguez, L. (1989), *Maintaining Seniors' Independence – A Guide to Home Adaptations*, Ottawa, Canada Mortgage and Housing Corporation.

Marie-José Durand, nouvelle titulaire de la Chaire de recherche en réadaptation au travail (Fondation J.-Armand Bombardier et Pratt & Whitney Canada) (2009), *Ergothérapie express*, XX (2), 4.

Mauger-Côté, D. (1984), L'ergothérapie : son évolution, son devenir, *Le Transfert*, 8 (2), 14.

Ministère de l'Éducation en collaboration avec le ministère des Affaires sociales, *Planification sectorielle de l'enseignement supérieur : Opération Sciences de la Santé*, Gouvernement du Québec, avril 1976.

Ministère des Affaires sociales : Allocations versées aux internes en physiothérapie et aux internes en ergothérapie, *Bulletin*, 2 (5), 2-3, 1978.

Ministère de la Santé et des Services sociaux, Programme-cadre pour les personnes ayant une déficience physique, Direction de la réadaptation, Québec, 1992.

Ministère de la Santé et des Services sociaux, *Défis de la reconfiguration des services en santé mentale*, Gouvernement du Québec, 1997.

Ministère de la Santé et des Services sociaux, *Planification de la main-d'œuvre dans le secteur de la réadaptation physique*, Gouvernement du Québec, juillet 2002.

Ministère de la Santé et des Services sociaux, *Suivi du Rapport sur la planification de la main-d'œuvre en réadaptation physique*, juin 2004.

Modification du programme de baccalauréat ès sciences (ergothérapie), Université de Montréal, mai 2005.

Mosey, A. C. (1973), *Activities Therapy*, New York, Raven Press.

Noël de Tilly, M. (1978), La réadaptation menacée, *Journal de Montréal*, 4 mai.

Office des personnes handicapées du Québec (1984), *À part... égale : L'intégration sociale des personnes handicapées : Un défi pour tous*, Bibliothèque nationale du Québec, Gouvernement du Québec.

Ordre des ergothérapeutes du Québec (2002), *La scolarité utile à l'exercice de la profession Ergothérapeute au Québec : résultat d'une analyse documentaire*.

Ordre des ergothérapeutes du Québec (2003-2004), *L'ergothérapie, une profession à ancrer dans l'avenir. Les états généraux de la profession d'ergothérapie*, Document synthèse.

Ordre des ergothérapeutes du Québec (2004), *La vue d'ensemble du résultat des états généraux de la profession d'ergothérapeute*, août.

Paquette, C. (2009), *Guide des meilleures pratiques en réadaptation cognitive*, Québec, Presses de l'Université du Québec, 136 p.

Paré-Fabris, N. (1984), L'ergothérapie : son évolution, son devenir, *Le Transfert*, 8 (2), 10-11.

Pénurie d'ergothérapeutes : Québec doit débloquer des fonds, *Forum*, 9 novembre 1987.

Peticlerc, L. (1984), L'ergothérapie : son évolution, son devenir, *Le Transfert*, 8 (2) 3.

Picard-Greffe, H. (1988), Mot de la présidente, *Le Transfert*, 12 (4), 2.

Picard-Greffe, H. (1992), L'avenir de l'ergothérapie : naviguer au gré du courant ou à l'estime, *Revue québécoise d'ergothérapie*, 1 (2), 73.

Picard-Greffe, H. et Saint-Jean, M. (1985), Le stage communautaire et la formation des ergothérapeutes, *Le Transfert*, 9 (1), 10-11.

Picard, H. (1987), Éditorial-Le mot de la présidente, *Le Transfert*, 11 (4), 3-4.

Polatajko, H., Miller, J., MacKinnon, J. et Harbum, K. (1989), Occupational therapy research in Canada : report from the Association of Canadian Occupational Therapy University Programs, *Canadian Journal of Occupational Therapy*, 56, 257-261.

Programme d'ergothérapie, *Rapport d'évaluation du programme d'ergothérapie de l'Université de Montréal*, présenté au Comité d'agrément de l'Association canadienne des ergothérapeutes, 20 septembre 2002.

Projet de loi 250, *Code des professions*, Éditeur officiel du Québec, article 25 (quatrième session, vingt-neuvième législature : sanctionné le 6 juillet 1973).

Prud'homme, J. (2011), *Professions à part entière. Histoire des ergothérapeutes, orthophonistes, physiothérapeutes, psychologues et travailleuses sociales au Québec*, Montréal, Les Presses de l'Université de Montréal.

Quebec Society of Occupational Therapists (1952), *A brief submitted to the Royal Commission on Health Services on Occupational Therapy in the Province of Quebec*, avril.

Quelques nouvelles des professeurs de l'Université Laval, *Le Transfert*, 7 (1), 11, 1983.

Rapports d'activités de l'Institut de réadaptation de Montréal (1988-1989 ; 1999-2001).

Rapports d'activités du centre de recherche de l'Institut de réadaptation de Montréal (1992-1994 ; 1994-1998).

Rapports d'activités du CRIR (2003-2004 ; 2004-2006 ; 2007-2008) et du CÉRRIS (2008-2009).

Recherches à l'Université de Montréal (mai-juin 1990), Spécial réadaptation–35ᵉ anniversaire, *Infomed*, 13 (8).

Robillard, M. (1981), Stimulation/déprivation, *Le Transfert*, 5 (3), 8-11.

Rôle de l'occupation et de la recréation-thérapie, conférence prononcée à la réunion mensuelle du Bureau médical de l'Hôpital Saint-Jean-de-Dieu, janvier 1939.

Rollin, F. (1997), Éditorial–Le mot de la présidente, *Revue québécoise d'ergothérapie*, 6, 2.

Rollin, F. (1999), Le mot de la présidente, *Revue québécoise d'ergothérapie*, 8, 2.

Rood, M. (1956), Neurophysiological mechanisms utilized in the treatment of neuromuscular dysfunction, *American Journal of Occupational Therapy*, 10 (4), 220-225.

School of Physical and Occupational Therapy, McGill University (1994), *5th Research Colloquium*, programmes et résumés.

Société des ergothérapeutes du Québec, *Mémoire de la Société des ergothérapeutes du Québec à la Commission d'enquête sur la santé et le bien-être*, 27 novembre 1968.

Survol de l'histoire des institutions pour malades mentaux et du travail pour les occuper, par Yves Longin. Texte qui reprend la conférence donnée par Yves Longin à l'Hôpital Robert-Giffard, le 12 avril 1995.

Tétreault, S. (1999), Évolution de la publication de l'Ordre des ergothérapeutes du Québec, *Le Transfert*, 8 (1), 8-10.

The International Classification of Impairments, Disabilities and Handicaps (ICIDH) (*WHO* 1980).

Thériault, P.-Y. (1998), Méthode d'analyse ergonomique des capacités du travailleur et des exigences d'une situation de travail (MAECES), Montréal, Les ergonomes associés du Québec (Document non publié).

Tremblay, C. (1996), Une ergothérapeute chez les autochtones : rôle clinique, opportunité et défi, *Revue québécoise d'ergothérapie*, 5 (4), 152.

Trudel, L. et Marazzani, M. (1996), La formation en ergothérapie après le baccalauréat, *Revue québécoise d'ergothérapie*, 5 (1), 21-24.

Un héritage de courage et d'amour ou La petite histoire de l'Hôpital Saint-Jean-de-Dieu à Longue-Pointe, 1873-1973, Presses de Thérien Frères (1960) Limitée, 1975.

Veillette, N., Demers, L., Dutil, É. et McCusker, J. (2009), *Development of a functional status assessment of seniors visiting emergency department*, Archives of Gerontology and Geriatric, 48, 205-212.

Voyer, P. (2006), *Soins infirmiers aux aînés en perte d'autonomie. Une approche adaptée au CHSLD*, Saint-Laurent, ERPI, 662 p.

Weiss-Lambrou, R. (1994), Éléments de réflexion sur la recherche en ergothérapie, *Revue québécoise d'ergothérapie*, 3, 142-145.

www.caot.ca/default.asp?pageid=1357

www.caot.ca/default.asp?pageid=274

www.medicine.mcgill.ca/ruis/fr/default.htm

www.nouvelles.umontreal.ca/archives/2007-2008/content/view/1344/225/index.html

www.readap.umontreal.ca/formation_ergo/notre_equipe.html

Table des matières

Préface   7

Remerciements   9

Avant-propos   11

Introduction   13
Naissance de l'ergothérapie en Amérique du Nord   14
Formation et regroupement d'ergothérapeutes   14

1. L'organisme professionnel   17
Les débuts   17
L'évolution   18
L'organisation   20
Les grands enjeux   22
Les moyens et les activités   32

2. La formation en ergothérapie   43
Les premiers professeurs   46
Direction de département   52
Les débats sur le niveau de formation   53
La structure organisationnelle   55
L'admission   57
Les stages   64
Être étudiant en ergothérapie   68
La parole aux étudiants d'aujourd'hui   71

3. La pratique clinique   75
La terminologie   76
Les années 1930 et 1940 : des débuts modestes   76
Les années 1950 et 1960 : tout se met en place   78
Les années 1970 et 1980 : des années charnières   92
Les années 1990 et 2000 : de beaux défis à relever   107

4. L'ergothérapie dans la communauté   123
La pratique en milieu communautaire   124
L'intervention en santé publique   132
La pratique privée   143
Les contributions humanitaires   146

5. La recherche en ergothérapie   149
La recherche n'est pas encore au rendez-vous   149
Les débuts   150
La recherche prend son envol   156
Les chercheurs ergothérapeutes : des chefs de file ?   175

Conclusion – L'ergothérapie de demain   179
La richesse de l'ergothérapie   180
Et l'avenir ?   181
La reconnaissance de la profession   188

Annexe – Les sondages   191

Bibliographie   193